H.P. LOVECRAFT

A CHAVE DE PRATA

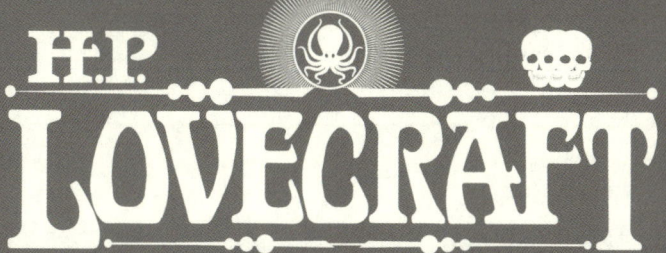

A CHAVE
DE PRATA

1ª EDIÇÃO

Todos os direitos reservados.
Copyright © 2019 by Editora Pandorga

Direção editorial
Silvia Vasconcelos

Produção editorial
Equipe Editora Pandorga

Preparação
Jéssica Gasparini Martins

Revisão
Gabriela Gomes Peres

Tradução
Fátima Pinho
Marsely de Marco

Diagramação
Danielle Fróes

Composição de capa
Lumiar Design

Texto de acordo com as normas do Novo Acordo Ortográfico da Língua Portuguesa
(Decreto Legislativo nº 54, de 1995)

Dados Internacionais de Catalogação na Publicação (CIP)
TuxpedBiblio (São Paulo - SP)

L897c   Lovecraft, H. P.

A chave de prata / H. P. Lovecraft (Tradução de Fátima Pinho e Marsely de Marco). – 1. ed. - São Paulo – SP : Editora Pandorga. Brasil, 2019.
144 p.; il.; 14x21 cm.

ISBN 978-85-8442-437-5

1. Literatura Americana 2. Randolph Carter 3. Suspense 4. Terror I. Título II. Autor

CDD 810.863
CDU 821.312.9 (73)

Índice para Catálogo Sistemático

1. Literatura americana: Ficção, terror, etc.
2. Romances fantásticos, terror (Estados Unidos).

Ficha catalográfica elaborada pelo bibliotecário Pedro Anizio Gomes CRB-8 8846

2019
IMPRESSO NO BRASIL
PRINTED IN BRAZIL
DIREITOS CEDIDOS PARA ESTA EDIÇÃO À
EDITORA PANDORGA
Rodovia Raposo Tavares, km 22
CEP: 06709015 – Lageadinho – Cotia – SP
Tel. (11) 4612-6404

SUMÁRIO

	APRESENTAÇÃO	7
1	A CHAVE DE PRATA	11
2	O QUE A LUA TRAZ CONSIGO	27
3	OS RATOS NAS PAREDES	31
4	OS SONHOS NA CASA DA BRUXA	57
5	A RUA	101
6	SOB AS PIRÂMIDES	109

Apresentação

O principal objetivo de reunir novas histórias em um segundo volume de *Os melhores contos* é trazer ao leitor uma experiência mais completa da obra de Lovecraft. Para isso, inclui-se nesta seleção contos que vão além do já conhecido horror cósmico e sobrenatural. Um desses contos é *A chave de prata*.

Os acontecimentos da narrativa são instrumentos para Lovecraft expor seu pensamento acerca da vida, da criação artística e busca pela identidade. Por meio dos sonhos, a personagem de Randolph Carter busca fugir da vida que considera fútil e sem graça e reconquistar as maravilhas que não existem no plano do real. Considerado pela crítica o mais filosófico e reflexivo dos contos, a marcante personagem de Carter é muitas vezes considerada um alter ego de Lovecraft.

Sob as pirâmides, curiosamente, é um conto escrito sob encomenda para o famoso mágico e escapologista Harry Houdini, que assina o texto como se o relato fosse autêntico. O conto foi interpretado como anedota e muitos leitores o deixam escapar, não dando a devida atenção. Porém, traz o de mais apreciado em Lovecraft, fazendo com que sua leitura valha muito a pena.

Impossível deixar de citar o conto *A rua*, também presente neste box. Diversas vezes, Lovecraft refletiu em suas obras seu pensamento conservador, sendo muitas vezes considerado racista e xenófobo. Esse é um lado do mestre do terror que, ainda que não faça parte do pensamento atual e tampouco represente o posicionamento do editor e, acredita-se, de seu público, não se pode passar batido. É preciso fazer uma reflexão acerca de autor *versus* obra, mas, sobretudo, procurar o que se pode aprender dadas as circunstâncias. Espera-se que o leitor siga por esse viés.

Os ratos nas paredes, *Os sonhos na casa da bruxa*, *O que a lua traz consigo* são outros contos para apreciação.

Boa leitura.

A CHAVE DE PRATA

A chave de prata

Aos trinta anos, Randolph Carter perdeu a chave do portal dos sonhos. Antes, ele compensava a monotonia da vida cotidiana com excursões noturnas a estranhas e antigas cidades no espaço distante e a regiões de jardins aprazíveis e fantásticos aos quais chegava cruzando mares etéreos. Mas, à medida que a meia-idade se abatia sobre ele, Carter sentia essa capacidade se esgotar pouco a pouco, até que, por fim, desapareceu por completo. Suas galeras já não poderiam subir o rio Oukranos para além das torres de ouro de Thran, nem poderiam suas caravanas de elefantes vagar pelas florestas perfumadas de Kled, onde palácios esquecidos com colunas de marfim dormiam sob a lua, graciosos e inalteráveis.

Ele havia lido muito sobre as coisas como elas são, e tinha conversado com muitas pessoas. Os filósofos, com a melhor das intenções, ensinaram-no a olhar para as relações lógicas entre as coisas e a analisar os processos que davam forma aos seus pensamentos e divagações. O encanto desapareceu, e ele se esqueceu de que a vida nada mais é do que um conjunto de imagens existentes em nossos cérebros, não havendo nenhuma diferença entre as nascidas de fatos reais e as nascidas de sonhos que só existem em nossa intimidade, e que não há qualquer motivo para considerar uma mais valiosa que a outra. O costume tinha enchido seus ouvidos com uma reverência supersticiosa pelo que existe tangível e fisicamente e o tornara secretamente envergonhado das visões. Os homens sábios lhe disseram que suas fantasias ingênuas eram fúteis e infantis, e ele acreditara, porque era capaz de ver que elas poderiam facilmente ser assim. O que ele não conseguia lembrar era que os feitos da realidade são igualmente insanos e infantis, e ainda mais absurdos, porque seus atores persistem em imaginá-los como cheios de significado e propósito, enquanto o cosmos cego vai circulando sem rumo, do nada para as coisas, e das coisas para o nada de novo, sem preocupação ou interesse pelos anseios ou pela existência das mentes que cintilam por um segundo aqui e ali dentro da escuridão.

Eles o acorrentaram às coisas que existem, e depois explicaram a ele o funcionamento delas, até que o mistério desapareceu do mundo. Quando ele se queixava e sentia o desejo imperioso de fugir para as regiões crepusculares, onde a magia moldava todos os pequenos fragmentos vívidos e associações prezadas de sua mente em visões de ansiada expectativa e deleite insaciável, eles o voltavam em direção aos prodígios recém-descobertos da ciência e o encorajavam a encontrar a magia no vórtice do átomo e o mistério nas dimensões do céu. E quando ele falhava em encontrar essas dádivas nas coisas cujas leis são conhecidas e mensuráveis, diziam a ele que lhe faltava imaginação e que era imaturo, pois preferia a ilusão dos sonhos às ilusões de nossa criação física.

Dessa forma, Carter tentou fazer o que os outros faziam, tentando convencer-se de que os eventos e emoções da vida comum eram mais importantes que as fantasias das almas mais raras e delicadas. Não protestou quando disseram a ele que a dor animal de um porco apunhalado ou de um lavrador dispéptico na vida real é mais importante do que a beleza incomparável de Narath, a cidade de cem portões esculpidos, com suas cúpulas de calcedônia, de que ele se lembrava vagamente de seus sonhos; e, sob a orientação de tais sábios cavalheiros, ele cultivou um meticuloso senso de compaixão e tragédia.

Ocasionalmente, no entanto, era inevitável pensar em como eram triviais, inconstantes e sem sentido todas as aspirações humanas, e em como contrastavam os verdadeiros impulsos da nossa vida real com os ideais pomposos que aqueles senhores dignos proclamavam defender. E então ele recorria à ironia que o tinham ensinado a usar para combater a extravagância e a artificialidade dos sonhos; porque percebia que a vida cotidiana de nosso mundo é, na mesma medida, extravagante e artificial, e muito menos digna de respeito devido à beleza escassa e à obstinação estúpida em não querer admitir sua própria falta de sentido e finalidade. Assim, ele foi se transformando em uma espécie de humorista, não percebendo que nem mesmo o humor tem sentido em um universo indiferente e destituído de qualquer padrão verdadeiro de autenticidade.

Nos primeiros dias de sua servidão, ele se voltara para a nobre fé fanática que a crença ingênua de seus pais tinha lhe inculcado, pois dela abriam-se caminhos místicos que pareciam oferecer alguma possibilidade de escapar dessa vida. Mas uma observação mais cuidadosa o fez entender a falta de fantasia e beleza, a trivialidade rançosa e tediosa, a gravidade solene e as pretensões grotescas da fé inabalável que reinava de maneira monótona e esmagadora entre a maioria dos que a professavam; ou sentir em toda a extensão a inaptidão com que tentava manter vivos, como fato literal, os crescentes temores e indagações de uma raça primitiva que se confrontava com o desconhecido. Carter ficava entediado com a solenidade com que as pessoas tentavam interpretar a realidade terrena a partir de velhos mitos, que a cada passo eram refutados por sua própria ciência arrogante. E essa seriedade inoportuna e fora de lugar matou o interesse que ele poderia ter sentido pelas crenças antigas, se elas tivessem se limitado a oferecer ritos sonoros e válvulas de escape emocionais em seu autêntico aspecto de fantasia etérea.

Mas, quando começou a estudar aqueles que haviam abandonado os velhos mitos, achou-os ainda mais detestáveis do que aqueles que os respeitavam. Eles não sabiam que a beleza reside na harmonia, e que o encanto da vida não obedece a nenhuma regra deste cosmos sem propósito, a não ser por sua sintonia com os sonhos e sentimentos do passado que moldaram cegamente nossas pequenas esferas a partir dos restos do caos. Eles não viam que o bem e o mal, a beleza e a feiura, são apenas produtos ornamentais do nosso ponto de vista, cujo único valor reside em sua relação com o que o acaso levou nossos pais a pensar e sentir; e que suas características, mesmo as mais sutis, são diferentes em cada raça e em cada cultura. Em vez disso, eles negaram todas essas coisas, ou transferiram-nas para os instintos vagos e primitivos que temos em comum com os animais e os simplórios; desse modo, suas vidas se arrastavam penosamente pela dor, pela fealdade e pelo desequilíbrio; embora, sim, preenchidas com o orgulho ridículo de ter escapado de um mundo que, na verdade, não era menos insano do que aquele que agora os sustentava. Tudo o que fizeram foi trocar os falsos deuses do medo e da fé cega pelos da permissividade e da anarquia.

Carter não gostava muito dessas liberdades modernas, porque eram mesquinhas e sórdidas e adoeciam um espírito que amava unicamente a beleza. Além disso, sua razão se rebelava contra a lógica indelével com a qual seus paladinos tentavam cobrir de ouro os brutais impulsos humanos com uma santidade arrebatada dos ídolos que haviam rejeitado. Ele via que a maioria das pessoas, assim como o trabalho desacreditado do clero, não poderia escapar da ilusão de que a vida tem um significado diferente daquele que os homens atribuem a ela, tampouco abandonar as noções grosseiras de ética e dever que estivessem além daquelas da beleza, mesmo quando, de acordo com suas descobertas científicas, toda a natureza gritava aos quatro ventos sua irracionalidade e imoralidade impessoal. Desvirtuados e fanáticos por ilusões preconcebidas de justiça, liberdade e conformismo, tinham colocado de lado a sabedoria antiga, os caminhos antigos e as antigas crenças; e nunca pararam para pensar que a sabedoria e aqueles caminhos eram os criadores únicos de seus pensamentos e critérios atuais, as únicas diretrizes e as únicas regras de um universo sem sentido, sem objetivos estabelecidos ou pontos de referência estáveis. Tendo perdido esses pontos de referência artificiais, suas vidas ficaram sem rumo e sem interesse dramático, até que, por fim, tiveram de afogar o tédio na agitação e na pretensa utilidade, em aspectos sem importância e na empolgação, em exposições bárbaras e em prazeres bestiais. E quando tudo isso os deixou enfadados, ou decepcionados, ou com náuseas de repulsa, eles cultivaram a ironia e a amargura, e culparam toda a ordem social. Nunca perceberam que seus princípios brutos eram tão instáveis e contraditórios quanto os deuses de seus anciões, ou que a satisfação de um momento é a ruína do próximo. A beleza serena e duradoura só é encontrada nos sonhos, mas esse conforto tinha sido descartado pelo mundo quando, em sua adoração ao real, jogaram fora os segredos da infância e da inocência.

Em meio a esse caos de falsidade e inquietação, Carter tentou viver como convinha a um homem digno, com bom senso e de boa família. Com seus sonhos desaparecendo com o ridículo da idade, ele não conseguia acreditar em mais nada; mas seu amor pela harmonia o manteve nos caminhos adequados à sua raça e condição. Caminhava impassível pelas cidades dos homens, e suspirava porque nenhum cenário parecia inteiramente real; porque cada feixe de luz amarela do sol refletido nos telhados altos, e cada vislumbre das praças balaustradas nas primeiras luzes do anoitecer servia apenas para lembrá-lo dos sonhos que um dia sonhou e sentir saudade das terras etéreas que não sabia mais como encontrar. Viajar era apenas uma piada, e nem mesmo a Guerra Mundial o tocou muito, embora tenha participado desde o início na Legião Estrangeira da França. Durante algum tempo, tentou encontrar amigos, mas logo se cansou da brutalidade de suas emoções e da mesmice e banalidade de suas mentalidades.

Alegrava-se levemente por não ter contato com os familiares, porque nenhum deles o compreendia, exceto, talvez, o avô e seu tio Christopher, mas ambos tinham morrido havia muito tempo.

Então ele recomeçou a escrever livros, coisa que não fazia desde que os sonhos o tinham abandonado. Mas tampouco encontrou neles alguma satisfação ou alívio, porque até seus pensamentos tinham se tornado demasiadamente mundanos, e ele não conseguia mais pensar em coisas encantadoras, como fizera no passado. O humor irônico tragou todos os minaretes ao crepúsculo que sua imaginação havia criado e sua aversão terrena ao improvável varreu todas as flores delicadas e fascinantes de seus maravilhosos jardins nas terras das fadas. A posição de miséria assumida permeava seus personagens com um sentimentalismo enjoativo, enquanto o mito de uma realidade importante e de eventos e emoções humanas significativos rebaixavam toda a sua alta fantasia a uma miscelânea de alegorias mal disfarçadas e sátiras sociais superficiais. Assim, seus novos romances alcançaram um sucesso que os antigos não conheceram; mas, porque sabia o quanto deveriam ser vazios para agradar a multidão insípida, queimou todos eles e parou de escrever. Eram romances muito graciosos, nos quais ele zombava refinadamente dos sonhos que descrevia sem muita seriedade; mas ele percebeu que a sofisticação havia consumido toda a vida que havia neles.

Depois dessas tentativas, ele passou a cultivar a ilusão deliberada e mergulhou no reino do grotesco e do excêntrico, como se procurasse um antídoto para o lugar comum. Contudo, esses campos não tardaram a mostrar sua pobreza e esterilidade, e ele logo percebeu que as doutrinas ocultistas populares eram tão vazias e inflexíveis quanto as crenças científicas, e não tinham sequer o paliativo da verdade para redimi-las. A total estupidez, a falsidade e a incoerência das ideias não são sonhos, e não oferecem a uma mente superior qualquer possibilidade de escape da vida real. Assim, Carter comprou livros ainda mais estranhos e procurou escritores mais profundos e terríveis, de fantástica erudição. Mergulhou nos arcanos da consciência que poucos estudaram, aprendeu sobre os segredos profundos da vida, da lenda e da antiguidade imemorial que o deixaram marcado para sempre. Decidiu viver em um plano mais incomum e mobiliou sua casa em Boston de forma a harmonizá-la com suas mudanças de humor. Dedicou um espaço para cada um de seus humores, pintou-os com as cores certas e os decorou com os livros e objetos adequados, guarnecidos com fontes de sentimentos em relação à luz, calor, sons, sabores e aromas.

Certa vez, ouviu falar de um homem no sul que era temido por todas as coisas blasfemas que havia lido em livros arcaicos e em tabuletas de barro que contrabandeara da Índia e da Arábia. Carter foi visitá-lo, morou com ele e compartilhou de seus estudos por sete anos, até que foram surpreendidos pelo horror no meio da noite, em um antigo cemitério desconhecido, e, dos dois que lá haviam entrado, apenas um retornou. Então ele retornou a Arkham, a velha cidade assustadora e assombrada da Nova Inglaterra onde seus ancestrais haviam vivido, e lá fez experiências na escuridão, entre veneráveis salgueiros e telhados arruinados, o que o fez selar para sempre certas páginas do diário de um de seus predecessores, de mentalidade excepcionalmente assustadora. Mas esses horrores só o levaram aos limites da realidade e, não sendo capaz de penetrá-los, não alcançou a região autêntica dos sonhos pela qual vagara durante sua juventude. Dessa maneira, quando completou cinquenta anos, perdeu toda a esperança de paz ou felicidade, em um mundo ocupado demais para notar a beleza e intelectual demais para tolerar sonhos.

Tendo finalmente entendido a fatalidade de todas as coisas reais, Carter passou seus dias em solidão, lembrando-se com saudades dos sonhos perdidos de sua juventude. Considerava uma estupidez continuar vivendo e, por meio de um conhecido da América do Sul, conseguiu uma poção singular, capaz de mergulhá-lo sem nenhum sofrimento no esquecimento da morte. A inércia e a força do hábito, no entanto, o fizeram adiar essa decisão, e ele permaneceu indeciso em meio aos pensamentos dos velhos tempos. Removeu tudo que estava nas paredes e redecorou a casa como era em sua juventude: recolocou as cortinas roxas, os móveis vitorianos e todo o resto.

Com o passar do tempo, quase chegou a alegrar-se por ter adiado seu intento, pois suas lembranças da juventude e sua ruptura com o mundo fizeram com que a vida e seus sofismas parecessem muito distantes e irreais, especialmente depois que um toque de magia e esperança voltaram a se esgueirar em seus repousos noturnos. Por anos a fio, em suas noites de sonho, Carter só tinha visto reflexos distorcidos das coisas cotidianas, tal como os sonhadores mais vulgares as viam; mas agora ele estava começando a vislumbrar novamente o brilho de um mundo mais estranho e mais fantástico, de uma natureza confusa, mas assustadoramente imanente, que tomava a forma de cenas claras de sua infância e o lembrava de fatos e coisas irrelevantes, esquecidos havia muito tempo. Muitas vezes, acordava chamando por sua mãe e seu avô, sendo que já havia um quarto de século que ambos descansavam em seus túmulos.

Uma noite, seu avô lembrou-lhe de uma chave. O velho professor de cabelos grisalhos, de aparência tão real como se estivesse vivo, falou longa e fervorosamente de seus ancestrais e das estranhas visões que tiveram aqueles homens refinados e sensíveis que eram seus antepassados. Falou do guerreiro cristão de olhos flamejantes e dos segredos cruéis que aprendeu com os sarracenos durante o tempo em que o mantiveram em cativeiro; e do primeiro Sir Randolph Carter, que estudara artes mágicas nos tempos da rainha Isabel. Falou também de Edmund Carter, que esteve prestes a ser enforcado com as bruxas da cidade de Salém, e que guardara em uma caixa antiga uma grande chave de prata que herdara dos antepassados. Antes de Carter acordar, o visitante etéreo lhe disse onde encontrá-la: uma caixa de carvalho entalhada, de antiguidade prodigiosa, cuja tampa tosca não havia sido aberta por cerca de duzentos anos.

Ele a encontrou em meio à poeira e às sombras do grande sótão, inacessível e esquecida no fundo de uma gaveta de uma enorme cômoda. A caixa tinha cerca de trinta centímetros, e os entalhes góticos eram tão apavorantes que não era de se admirar que ninguém tivesse ousado abri-la desde a época de Edmund Carter. Ela não fez nenhum barulho quando Carter a balançou, mas o perfume de especiarias esquecidas que dela se desprendeu o mergulhou em misticismo. Que a caixa continha uma chave, não passava de uma lenda sombria, e nem mesmo o pai de Randolph Carter nunca soube da existência da tal caixa. Ela havia sido reforçada com tiras de ferro enferrujado e parecia não haver maneira de abrir a fechadura imponente. Carter teve uma vaga premonição de que, lá dentro, encontraria a chave da porta perdida dos sonhos, mas seu avô não lhe dissera uma única palavra sobre como e onde usá-la.

Um velho criado forçou a tampa esculpida, tremendo de medo pelos rostos horríveis que olhavam para ele da madeira enegrecida, e por algum sentimento de familiaridade que ele não sabia explicar. No interior, envolta em um pergaminho desbotado, estava uma enorme chave de prata manchada, esculpida com misteriosos arabescos. Mas não havia nenhuma explicação legível de qualquer tipo. O pergaminho era volumoso e continha estranhos hieróglifos em uma língua desconhecida, traçados com um bambu antigo. Carter reconheceu neles os mesmos caracteres que vira em um rolo de papiro que pertencia ao terrível sábio do Sul, que desaparecera uma noite em um cemitério sem nome. Aquele homem estremecia toda vez que consultava o pergaminho, e, agora, Carter também tremia.

Mas ele limpou a chave e a manteve consigo naquela noite, enfiada em sua velha e aromática caixa de carvalho. Enquanto isso, seus sonhos se tornavam mais vívidos e, embora não o levassem a nenhuma daquelas cidades estranhas, ou aos incríveis jardins dos tempos antigos, estavam adquirindo um significado definido cujo propósito não deixava margem para dúvidas. Eles o chamavam para um passado remoto, e Carter se sentia levado pelas vontades unidas de todos os seus ancestrais em direção a alguma fonte oculta e antiga. Então ele entendeu que deveria penetrar no passado e se misturar com as coisas antigas e, dia após dia, pensava nas colinas ao norte, onde ficavam a cidade assombrada de Arkham e o impetuoso Miskatonic, e a moradia rústica e solitária de sua família.

Sob a luz melancólica do outono, Carter tomou a antiga e conhecida estrada, passando pelas fileiras de graciosas colinas onduladas e prados cercados por paredes de pedras, atravessou vales distantes de encostas cobertas por florestas, percorreu a estrada sinuosa que passava por fazendas aninhadas e contornou os meandros cristalinos do Miskatonic, atravessados aqui e ali por pontes rústicas de madeira ou pedra. Em uma das curvas, viu o grupo de olmos gigantes onde, um século e meio antes, um de seus antepassados havia desparecido misteriosamente e estremeceu ao sentir o vento soprando, sentencioso, por entre eles. Logo depois, passou pela casa solitária e em ruínas do velho feiticeiro Goody Fowler, com suas pequenas janelas e seu grande teto que descia quase até o chão nos fundos. Ele pisou no acelerador ao passar por ela, e não diminuiu a marcha até alcançar o morro onde nasceram sua mãe e os pais dela, em um casarão branco antigo que ainda conservava um aspecto imponente visto da estrada, inserido em uma paisagem maravilhosa de vales verdejantes e encostas rochosas, em cujo horizonte se avistava as distantes torres de Kingsport e, mais adiante, insinuava-se a presença de um mar antigo e onírico.

Então chegou à encosta onde ficava a antiga casa que ele não visitava havia quarenta anos. Já era fim de tarde quando Carter chegou ao sopé, mas fez uma pausa em uma curva na metade da subida para contemplar os vastos campos dourados e celestiais inundados pela luz mágica do sol poente. Toda a fantasia e o anseio de seus sonhos recentes pareciam estar nessa paisagem silenciosa e sobrenatural que sugeria a solidão desconhecida de outros planetas. Ele olhou à sua volta, admirando o deserto aveludado de prados que ondulava entre as cercas arruinadas e o aglomerado mágico de florestas que se destacava acima das colinas e do vale fantasmagórico coberto de árvores, que mergulhava nas sombras em direção às bordas úmidas de riachos cujas águas murmuravam enquanto fluíam entre raízes inchadas e retorcidas.

Algo lhe dizia que seu carro não pertencia ao universo que ele procurava, então o deixou na beira da floresta, guardou a enorme chave no bolso do casaco e continuou a subir a ladeira a pé. Agora estava dentro da floresta, mas sabia que a casa ficava no topo de uma colina completamente desmatada, exceto ao norte. Ele se perguntava como estaria a casa, que estava vazia e abandonada por negligência dele desde a morte de seu estranho tio-avô Christopher, trinta anos antes. Durante sua infância, ele passara longos períodos ali e descobrira estranhas maravilhas na mata que se estendia por trás do pomar.

As sombras ficaram mais densas ao redor dele, porque a noite se aproximava. À sua direita, uma clareira se abriu entre as árvores, de modo que, por um momento, ele pôde ver várias léguas de campos no crepúsculo e a torre do sino da Congregação, que ficava no Monte Central de Kingsport. Rosadas pelas últimas luzes do dia, as vidraças das pequenas janelas redondas pareciam arder em chamas com a luz refletida. No entanto, quando mergulhou outra vez nas sombras, lembrou-se, assustado, de que essa visão fugaz só poderia ter vindo de suas memórias de infância, uma vez que a igreja tinha sido demolida havia muito tempo para a construção do Hospital da Congregação. Ele havia lido a notícia com interesse, já que o jornal também falava de estranhas galerias ou passagens que haviam sido encontradas na colina rochosa, sob as fundações da igreja.

Em meio à sua confusão, pensou ter ouvido uma voz aguda e sentiu um novo calafrio ao reconhecê-la depois de tantos anos. Benijah Corey, o antigo servo de seu tio Christopher, já estava velho nos remotos tempos de sua infância, quando começou a passar temporadas inteiras na velha mansão. Agora ele deveria ter mais de cem anos. Mas aquela voz aguda não poderia pertencer a mais ninguém. Carter não conseguia entender o que ele dizia, mas o tom era inconfundível e perturbador. Quem diria que o "Velho Benjy" ainda poderia estar vivo!

— Senhor Randy! Senhor Randy! Onde você está? Você quer matar sua tia Martha de desgosto? Ela não lhe disse para voltar antes de escurecer? Randy! Ran...dee! Na minha vida eu nunca vi uma criança que gostasse tanto de correr pela floresta. Passa o dia nessa mata cheia de cobras... Ei, Ran...dee!

Randolph Carter parou em meio à densa escuridão e esfregou os olhos com a mão. Havia algo errado. Ele estava em um lugar onde não deveria estar; perdido em algum lugar muito distante, onde não deveria ter ido, e agora estava imperdoavelmente atrasado. Não tinha notado a hora na torre do sino de Kingsport – embora pudesse facilmente vê-lo com sua luneta de bolso –, mas sabia que seu atraso era algo muito estranho e incomum. Não tinha certeza de que trouxera a luneta consigo, e enfiou a mão no bolso da blusa para confirmar. Não, ele não a havia trazido, mas lá estava a chave de prata que encontrara dentro de uma caixa, em algum lugar. Tio Chris falara uma vez algo estranho sobre uma caixa fechada onde haveria uma chave, mas a tia Martha o tinha interrompido abruptamente, dizendo que aquilo não era coisa que se dissesse a um menino que já tinha a cabeça cheia de fantasias esquisitas. Então ele tentou se lembrar de onde, exatamente, havia encontrado a chave, mas tudo estava muito confuso. Achava que tinha sido no sótão de sua casa, em Boston, e lembrava-se vagamente de subornar Parks com a metade de sua mesada para ajudá-lo a abrir a caixa e não contar nada a ninguém sobre isso, mas, ao evocar a cena, o rosto de Parks estava muito estranho, como se as rugas de incontáveis anos tivessem aparecido no londrino espevitado.

— Ran... deee! Ran...deee! Ei! Ei! Randy!

Uma lanterna oscilante apareceu na curva escura e o velho Benijah se lançou sobre a silhueta silenciosa e perplexa de Carter.

— Droga, menino, aí está você! Você não tem uma língua na boca para responder? Estou chamando você há meia hora e você já deve ter me ouvido há muito tempo! Você não sabe que sua tia Marta fica preocupada quando você não volta antes de anoitecer? Espere para ver o que vai acontecer quando eu contar ao seu tio Chris! Você deveria saber que essas florestas não são um bom lugar para perambular a essa hora da noite! Você pode tropeçar em coisas ruins, das quais nada de bom pode esperar, como meu avô já dizia. Vamos, Randy, ou Hannah não vai nos esperar para o jantar!

Assim, Randolph Carter foi arrastado estrada acima, onde estrelas fascinantes brilhavam através dos ramos altos de outono. Ouviram os cachorros latindo, viram a luz amarela das janelas depois da última curva da estrada, e viram as Plêiades piscarem sobre a clareira onde havia um grande teto negro contra o crepúsculo do entardecer. Tia Martha estava na porta e não repreendeu muito o pequeno patife quando Benijah o tocou para dentro. Ela conhecia o tio Chris o suficiente para esperar algo assim do sangue dos Carter. Randolph não mostrou a chave, mas jantou em silêncio e só protestou quando chegou a hora de dormir. Às vezes, ele sonhava melhor acordado, e queria usar aquela chave.

Na manhã seguinte, Randolph acordou cedo e teria corrido para o alto do bosque se o tio Chris não o tivesse forçado a sentar-se para o café da manhã. Ele olhava ao redor impaciente – para a sala de teto baixo, para o carpete esfarrapado, para as vigas expostas do telhado e para os pilares – e só sorriu quando os galhos do jardim arranharam as vidraças da janela do fundo. As árvores e colinas estavam perto dele, e elas eram as portas para aquele reino atemporal que era sua verdadeira pátria.

Então, quando o deixaram ir, Carter tocou o bolso da blusa para ver se a chave estava lá e, agora, seguro de que a trazia consigo, atravessou correndo o pomar em direção à colina cheia de árvores que se erguia acima da clareira. O chão da floresta estava coberto de musgo e mistério. Aqui e ali, grandes rochas cobertas de liquens surgiam vagamente na luz difusa, como enormes monólitos druidas entre os troncos imensos e retorcidos de uma floresta sagrada. Enquanto subia, Randolph cruzou um riacho cujas cachoeiras, um pouco abaixo, entoavam encantamentos rúnicos para os faunos, egipãs e dríades escondidos.

Então chegou à estranha caverna da encosta, a temida caverna das serpentes, de onde os camponeses fugiam e da qual Benijah o avisou várias vezes para ficar longe. A caverna era profunda, mais profunda do que qualquer outra pessoa teria suspeitado, porque Randolph descobriu uma rachadura no canto mais fundo e escuro que dava acesso a uma caverna ainda maior: um espaço sepulcral cujas paredes de granito pareciam ter sido fabricadas conscientemente. Dessa vez, como nas outras, ele rastejou até lá, acendeu os fósforos que tinha tirado da sala de estar, e deslizou para dentro da rachadura com um entusiasmo que nem ele mesmo sabia explicar. Não sabia dizer por que se aproximou da parede do fundo com tanta determinação, ou por que pegou a grande chave de prata instintivamente enquanto avançava. Mas seguiu em frente, e quando, naquela noite, voltou animado para casa, não deu nenhuma explicação para o atraso nem prestou atenção à bronca que recebeu por ter ignorado totalmente o chamado anunciando a refeição do meio-dia.

Todos os parentes distantes de Randolph Carter concordavam que, quando ele tinha dez anos de idade, algo acontecera e despertara sua imaginação. Seu primo Ernest B. Aspinwall, *esquire*, de Chicago, é dez anos mais velho que ele e lembra-se bem da mudança no menino após o outono de 1883. Randolph havia vislumbrado paisagens de fantasia como ninguém já tinha visto na vida; mas ainda mais estranhos foram alguns dos poderes que ele mostrou em relação a coisas muito reais. Ele parecia, em suma, ter adquirido o dom singular da profecia e, às vezes, reagia de maneira estranha a coisas que, embora não tivessem importância na época, viriam a justificar suas atitudes peculiares. Nas décadas que se seguiram, quando novas invenções, novos nomes e novos eventos entraram para o livro da História, as pessoas passaram a se perguntar com surpresa como Carter havia se referido anos antes àquelas coisas que, de alguma forma, mas inequivocamente, aconteceriam no futuro. Ele mesmo não entendia suas próprias palavras, nem sabia por que certas coisas produziam uma determinada emoção, mas imaginava que isso provavelmente se devia a algum sonho que na época ele não conseguia se lembrar. No início de 1897, quando um viajante mencionou a cidade francesa de Belloy-en-Santerre, Carter ficara pálido. Os amigos lembraram-se disso em 1916, quando, durante a Segunda Guerra Mundial, ele sofreu um ferimento quase mortal naquela cidade, servindo à Legião dos estrangeiros.

Os parentes de Carter costumam falar sobre tudo isso, porque recentemente ele desapareceu. Seu antigo criado, o pequeno Parks, que durante muitos anos suportara pacientemente suas extravagâncias, foi o último a vê-lo naquela manhã, quando ele pegou o carro e saiu com uma chave que acabara de encontrar. Parks o ajudara a tirar a chave da velha caixa que a continha e ficara singularmente impressionado com os relevos grotescos que adornavam o baú e com alguma outra coisa que ele não conseguia descrever. Ao sair, Carter disse que estava indo a Arkham para visitar a região de seus ancestrais.

Na metade da encosta do Monte do Olmo, ao longo da estrada que leva às ruínas da casa ancestral dos Carter, encontraram o carro de Randolph estacionado cuidadosamente na beira da estrada. Lá dentro encontraram uma caixa de madeira aromática, adornada de relevos que encheram de medo os camponeses que a viram. A caixa continha apenas um pergaminho, cujos caracteres não puderam ser decifrados por linguistas ou paleógrafos. A chuva já havia apagado todas as pegadas, mas a polícia de Boston disse haver evidências de algum tipo de movimentação entre as vigas desabadas da casa dos Carter. Disseram que tudo indicava que alguém tinha vasculhado as ruínas recentemente. Encontraram, um pouco além, um lenço de bolso branco entre as rochas da floresta, mas não conseguiram provar que pertencia ao desaparecido.

Os herdeiros de Randolph Carter discutem dividir seus bens, mas pretendo opor-me firmemente, porque não creio que ele esteja morto. Há dobras no tempo e no espaço, na fantasia e na realidade, que apenas um sonhador pode vislumbrar e, pelo que sei de Carter, acho que ele descobriu um meio de atravessar esses labirintos nebulosos. Se ele vai voltar ou não, não sei dizer. Ele foi buscar as regiões perdidas de seus sonhos e sentia nostalgia pelos dias de sua infância. Ele, então, encontrou uma chave, e estou inclinado a acreditar que conseguiu usá-la para seus estranhos propósitos.

Vou perguntar a ele quando o vir, porque espero encontrá-lo em breve, em uma certa cidade dos sonhos que costumávamos frequentar. Correm boatos que em Ulthar, uma região que se estende para o outro lado do rio Skai, um novo rei ocupa o trono de opala de Ilek-Vad, a fabulosa cidade de infinitas torres que fica no topo das falésias de cristal que dão vista para o mar crepuscular onde os Gnorri, criaturas barbadas e piscosas, constroem seus labirintos singulares. Acho que sei interpretar esse boato. Certamente, espero impaciente pelo momento de contemplar aquela grande chave de prata, porque em seus misteriosos arabescos podem estar simbolizados todos os desenhos e segredos de um cosmo cegamente impessoal.

O que a lua traz consigo

Odeio a lua – tenho-lhe horror – pois, às vezes, quando ilumina cenas familiares e queridas, transforma-as em coisas estranhas e odiosas. Foi durante o verão espectral que a lua brilhou no velho jardim por onde eu vagava; o verão espectral de flores narcóticas e úmidos mares de folhagens que evocam sonhos extravagantes e multicoloridos. E, enquanto eu caminhava pelo raso córrego cristalino, percebi extraordinárias ondulações rematadas por uma luz amarela, como se aquelas águas plácidas fossem arrastadas por correntezas irresistíveis em direção a estranhos oceanos para além deste mundo. Silentes e suaves, frescas e fúnebres, as águas amaldiçoadas pela lua corriam a um destino ignorado; enquanto, dos caramanchões à margem, flores brancas de lótus desprendiam-se uma a uma no vento opiáceo da noite e caíam desesperadas na correnteza, rodopiando em um torvelinho horrível por sob o arco da ponte entalhada e olhando para trás com a resignação sinistra de serenos rostos mortos.

E enquanto eu corria ao longo da margem, esmagando flores adormecidas com meus pés relapsos, e cada vez mais desvairado pelo medo de coisas ignotas e pela atração exercida pelos rostos mortos, percebi que o jardim não tinha fim ao luar; pois onde durante o dia havia muros, descortinavam-se novos panoramas de árvores e estradas, flores e arbustos, ídolos de pedra e templos, e curvas do regato iluminado para além das margens verdejantes e sob grotescas pontes de pedra. E os lábios daqueles rostos mortos de lótus faziam súplicas tristes e pediam que eu os seguisse, mas não parei de andar até que o córrego se transformasse em rio e desaguasse, em meio a pântanos de juncos balouçantes e praias de areia refulgente, no litoral de um vasto mar sem nome. Nesse mar, a lua odiosa brilhava e, acima das ondas silentes, estranhas fragrâncias pairavam. E lá, quando vi os rostos de lótus desaparecerem, ansiei por redes para que eu pudesse capturá-los e deles aprender os segredos que a lua havia confiado à noite. Mas, quando a lua moveu-se em direção ao Ocidente e a maré estagnada refluiu para longe da orla tétrica, pude ver sob aquela luz os antigos coruchéus que as ondas quase revelavam e colunas brancas radiantes com festões de algas verdes. E, sabendo que todos os mortos estavam congregados naquele lugar submerso, estremeci e não quis mais falar com os rostos de lótus. Contudo, ao ver um condor negro ao largo descer do firmamento para descansar em um enorme recife, senti vontade de interrogá-lo e perguntar sobre os que conheci ainda em vida. Era o que eu teria perguntado se a distância que nos separava não fosse tão vasta, mas o pássaro estava demasiado longe e sequer pude vê-lo quando se aproximou do gigantesco recife. Então observei a maré vazar à luz da lua que aos poucos baixava, e vi os coruchéus brilhando, as torres e os telhados da gotejante cidade morta. E enquanto eu observava, minhas narinas tentavam bloquear a pestilência de todos os mortos do mundo; pois, em verdade, naquele lugar ignorado e esquecido reuniam-se todas as carnes dos cemitérios para que os túrgidos vermes marinhos desfrutassem e devorassem o banquete. Impiedosa, a lua pairava logo acima desses horrores, mas os vermes túrgidos não precisam da lua para se alimentar.

E enquanto eu observava as ondulações que denunciavam a agitação dos vermes lá embaixo, pressenti um novo calafrio vindo de longe, do lugar para onde o condor voara, como se a minha carne houvesse sentido o horror antes que meus olhos o vissem. Tampouco a minha carne estremecera sem motivo, pois, quando ergui os olhos, percebi que a maré estava muito baixa, deixando à mostra boa parte do enorme recife cujo contorno eu já avistara. E quando vi que o recife era a negra coroa basáltica de um horripilante ícone cuja fronte monstruosa surgia em meio aos baços raios do luar e cujos temíveis cascos deviam tocar o lodo fétido a quilômetros de profundidade, gritei e gritei com medo de que aquele rosto emergisse das águas, e de que os olhos submersos avistassem-me depois que a maligna e traiçoeira lua amarela desaparecesse. E para escapar a essa coisa medonha, atirei-me sem hesitar nas águas pútridas onde, entre muros cobertos de algas e ruas submersas, os túrgidos vermes marinhos devoram os mortos do mundo.

Os ratos nas paredes

Em 16 de julho de 1923, mudei-me para o priorado de Exham, depois que o último trabalhador terminou suas tarefas. O trabalho de restauração tinha sido uma tarefa monumental, porque pouco restara da construção abandonada, a não ser uma ruína em forma de concha. Mas, como aquele tinha sido o berço de meus antepassados, não poupei gastos. O local não era habitado desde o reinado de Jaime I, quando uma tragédia de natureza terrível, embora em grande parte não explicada, abateu-se sobre o senhor, cinco de seus filhos e vários criados; e colocou sob uma nuvem de suspeita e terror o terceiro filho, meu pai e único sobrevivente da infeliz linhagem.

Como o único herdeiro fora denunciado por homicídio, a propriedade retornou à coroa, sem que o acusado fizesse a menor tentativa de se inocentar ou de recuperar a herança. Abalado por um terror maior do que o da consciência ou da lei, e manifestando apenas o desejo frenético de apagar aquela velha mansão de sua visão e de sua memória, Walter de la Poer, o décimo primeiro barão de Exham, migrou para a Virgínia, onde se estabeleceu e fundou a família que, no século seguinte, seria conhecida pelo nome de Delapore.

O priorado de Exham permaneceu abandonado, mas eventualmente se tornou parte das propriedades da família Norrys e foi objeto de numerosos estudos devido à sua arquitetura única, constituída de torres góticas assentadas sobre uma infraestrutura saxã ou românica, cujas fundações eram de um estilo ou uma mistura de estilos de tempos ainda mais antigos: romanos e até mesmo druidas ou do galês nativo, se o que as lendas dizem é verdade. As fundações tinham um aspecto muito singular, pois estavam fundidas de um lado no sólido calcário de um precipício de cuja borda se avistava um vale desolado que se estendia por cinco quilômetros a oeste da aldeia de Anchester. Os arquitetos e os antiquários adoravam examinar essa estranha relíquia de séculos antigos, mas as pessoas da região a detestavam com todas as forças. Detestavam-na havia séculos, desde quando meus antepassados ainda viviam ali, e ainda hoje, mesmo estando abandonada e coberta de musgos e de mofo. Não fazia nem um dia que eu chegara a Anchester quando soube que era descendente de uma família amaldiçoada. E esta semana os trabalhadores demoliram o que restava do priorado de Exham e estão ocupados em destruir os restos de suas fundações. Eu sempre soube da história da linhagem da minha família, e sei que meu primeiro antepassado americano mudou-se para as colônias envolto em nuvens de suspeita. Dos detalhes, no entanto, eu nunca soube muito, devido à política de reticência mantida por gerações entre os Delapore. Ao contrário dos vizinhos colonos, raramente falávamos com orgulho de nossos antepassados que lutaram nas Cruzadas ou de outros heróis medievais e renascentistas, nem transmitíamos outras tradições, exceto as que eram registradas no envelope lacrado deixado antes da Guerra Civil por cada varão a seu primogênito para abertura póstuma. As únicas glórias de que nos jactávamos na família eram as conquistadas depois da migração, as glórias de uma linhagem altiva e honrada da Virgínia, embora um pouco reservada e insociável.

Durante a guerra, perdemos todas as nossas fortunas e toda a nossa existência foi modificada pelo incêndio de Carfax, a residência da família às margens do rio Jaime. Meu avô, já com idade avançada, pereceu nas chamas daquele incêndio criminoso, e com ele o envelope que nos ligava ao nosso passado. Ainda hoje me lembro do incêndio, da forma como o testemunhei com meus próprios olhos com a idade de sete anos: soldados federais comemorando aos berros, mulheres gritando e negros se lamentando e orando. Meu pai tinha se juntado ao exército e participava da defesa de Richmond e, depois de muitas formalidades, minha mãe e eu conseguimos passar pelas trincheiras inimigas e nos juntar a ele.

Quando a guerra terminou, mudamo-nos para o norte, de onde minha mãe viera; foi lá que cresci, tornei-me um homem maduro e, por fim, acumulei riqueza como convém a um ianque impassível. Nem meu pai nem eu nunca soubemos o que continha o envelope hereditário destinado a nós; e quando mergulhei na monotonia da vida empresarial de Massachusetts, perdi todo o interesse em desvendar os mistérios que, sem dúvida, escondiam-se no passado remoto de minha árvore genealógica. Com que alegria teria deixado o priorado de Exham entregue aos musgos, aos morcegos e às teias de aranha se tivesse ao menos suspeitado da natureza de seus mistérios!

Meu pai morreu em 1904, sem deixar mensagem alguma para mim ou para meu único filho, Alfred, um menino de dez anos, órfão da mãe. Foi precisamente Alfred quem inverteu a ordem das informações da família, porque, embora eu só pudesse oferecer a ele conjecturas irônicas sobre o passado, ele me escreveu contando sobre algumas lendas ancestrais muito interessantes quando, durante a última guerra, foi enviado à Inglaterra, em 1917, como oficial de aviação. Aparentemente, os Delapore tinham uma história pitoresca e um pouco sinistra, pois um amigo de meu filho, o capitão Edward Norrys, da corporação real de aviação, morava perto da propriedade da família em Anchester e relatou algumas superstições dos camponeses que poucos romancistas poderiam igualar, de tão incríveis e insanas que eram. Norrys, é claro, não as levava muito a sério, mas meu filho se divertia e elas serviram como assunto para muitas das cartas que ele escreveu para mim. Foram essas lendas que finalmente chamaram minha atenção para minha herança transatlântica, e eu decidi comprar e restaurar a propriedade da família que Norrys descrevera a Alfred em todo o seu pitoresco abandono e se oferecera para obter por uma quantia bastante razoável, dado que seu tio era o atual proprietário.

Comprei o priorado de Exham em 1918, mas quase que imediatamente esqueci os planos de restauração devido ao retorno de meu filho na condição de inválido mutilado. Durante os dois anos em que ele ainda viveu, dediquei-me inteiramente a cuidar dele, deixando inclusive a administração de meu negócio nas mãos de meus sócios.

Em 1921, eu me encontrava mergulhado em luto e na mais completa desolação, um industrial aposentado que observava a velhice se aproximando, e decidi passar o resto dos meus anos me distraindo com a nova propriedade. Visitei Anchester em dezembro e me hospedei na casa do capitão Norrys, um jovem grande e afável, que nutria alta estima por meu filho e ofereceu sua cooperação na tarefa de reunir desenhos e histórias que me inspirassem ao realizar os trabalhos de restauração. Não senti emoção alguma ao ver o priorado de Exham, um amontoado de ruínas medievais abandonadas, cobertas por liquens e tomadas de ninhos de gralhas, ameaçadoramente empoleiradas à beira de um enorme penhasco, sem o menor traço de pisos ou qualquer outro recurso interno, exceto as paredes de pedra das torres separadas.

Depois de formar aos poucos uma ideia de como o edifício deveria ter sido quando meus ancestrais o abandonaram três séculos antes, comecei a contratar trabalhadores para iniciar as tarefas de reconstrução. Em todos os casos, fui forçado a procurá-los fora da cidade, já que os aldeões de Anchester demonstravam um medo e uma aversão quase inacreditável por aquele lugar. A magnitude do sentimento era tal que às vezes chegava a contagiar os trabalhadores que vinham de outros lugares, dando causa a inúmeras deserções. Ao mesmo tempo, o terror parecia se estender tanto ao priorado quanto à antiga família que o possuiu.

Meu filho me contara que, durante suas visitas, as pessoas da aldeia de certa forma o evitavam por ele ser um de la Poer, e agora, pelo mesmo motivo, eu também estava sendo rejeitado, até que consegui convencer os camponeses de que eu pouco sabia sobre meus antepassados. E, mesmo assim, mostravam-se teimosamente insociáveis, de modo que fui forçado a recorrer a Norrys para coletar a maioria das tradições populares que ainda circulavam no local. O que aquelas pessoas não conseguiam perdoar, talvez, era que eu estava ali para restaurar um símbolo que odiavam com tanta força; pois, racionalmente ou não, para eles o priorado de Exham não passava de um ninho de demônios e lobisomens.

Reunindo todas as histórias que Norrys recolheu para mim e complementando-as com o que tinham dito vários estudiosos que examinaram as ruínas, concluí que o priorado de Exham estava localizado onde antes havia sido um templo pré-histórico: uma construção druida, ou mesmo de antes desse período, que deve ter sido contemporânea de Stonehenge. Quase ninguém duvidava de que ritos abomináveis tinham sido celebrados ali, e havia todo tipo de histórias horríveis sobre a transformação de tais ritos para o culto de Cibele, introduzido mais tarde pelos romanos.

Nos subsolos, ainda era possível ver inscrições com letras inconfundíveis como "DIV... OPS... MAGNA MAT...", sinal da Magna Mater, cujo culto obscuro certa vez foi, em vão, proibido aos cidadãos romanos. Como muitas ruínas atestam, Anchester servira de acampamento para a terceira legião de Augusto e, ao que tudo indica, o templo de Cibele deve ter sido um edifício imponente e repleto de fiéis que celebravam indizíveis cerimônias presididas por um sacerdote frígio. As histórias acrescentavam que a queda da antiga religião não pôs fim às orgias que ocorriam no templo, mas, pelo contrário, os sacerdotes se converteram à nova fé sem mudar fundamentalmente suas crenças. Dizia-se também que os ritos não desapareceram com a ascensão dos romanos ao poder e que alguns saxões fizeram edificações no que restava do templo, dando-lhe o perfil característico que posteriormente foi preservado, e fizeram dele o centro de um culto temido em metade do território pelo qual a heptarquia se estendia. Por volta do ano 1000, o lugar foi mencionado em uma crônica como sendo um priorado, essencialmente construído em pedra, que abrigava uma ordem monástica poderosa e estranha e era cercado por extensos jardins que não necessitavam de muros para manter afastada a população cheia de temor. Ele nunca foi destruído pelos dinamarqueses, embora seu destino deva ter diminuído drasticamente após a conquista pelos normandos, visto que não houve o menor impedimento quando Henrique III concedeu a propriedade das terras ao meu antepassado Gilbert de la Poer, o primeiro barão de Exham, em 1261.

Não há relatos maldosos sobre minha família antes dessa data, mas algo estranho deve ter acontecido naquela época. Em uma crônica de 1307 há uma referência a um de la Poer como sendo um "renegado de Deus", ao passo que as lendas populares falavam apenas de um medo mortal e frenético do castelo que foi construído sobre as fundações do antigo templo e priorado. As histórias contadas ao pé da lareira que corriam pelo local eram as mais assustadoras, e se tornavam ainda mais aterrorizantes com a reticência temerosa e a reserva sombria que as cercava. Elas apresentavam meus antepassados como uma linhagem de demônios hereditários ao lado dos quais Gilles de Retz e o marquês de Sade não passavam de meros aprendizes, e insinuavam aos sussurros que eles eram responsáveis pelo desaparecimento ocasional de aldeões por várias gerações.

Os piores de toda a família, aparentemente, eram os barões e seus herdeiros diretos. Pelo menos, a maioria das histórias que circulavam se referiam a eles. Se um herdeiro mostrasse inclinações mais saudáveis, eles diziam, morreria em tenra idade e misteriosamente, para abrir caminho para outro descendente mais típico. Parecia existir um culto interno, presidido pelo chefe da família e às vezes restrito a alguns membros. O temperamento, mais do que a linhagem, era a base desse culto, porque também contavam com a participação daqueles que entraram na família pelo casamento. Lady Margaret Trevor da Cornualha, esposa de Godfrey, o segundo filho do quinto barão, tornou-se um dos bichos-papões favoritos de todas as crianças da redondeza e heroína diabólica de uma antiga balada medonha que ainda se ouvia nas proximidades da fronteira galesa. Também preservada nas baladas, embora não tão ilustrativa a esse respeito, é a história macabra de Lady Mary de la Poer, que logo depois do casamento com o barão de Shrewsfield foi assassinada por ele e por sua mãe que, mais tarde, foram absolvidos e abençoados pelo sacerdote a quem confessaram o que não ousariam dizer ao mundo.

Esses mitos e baladas, sendo típicos da mais absurda superstição, muito me desagradavam. A persistência deles e sua associação a uma linhagem tão longa dos meus ancestrais eram especialmente irritantes; enquanto as imputações de hábitos monstruosos relacionavam-se de maneira desagradável ao único escândalo conhecido dos meus ancestrais imediatos: refiro-me ao caso do meu primo, o jovem Randolph Delapore, de Carfax, que se metera no meio dos negros e tornara-se sacerdote do rito de vodu quando retornou da Guerra do México.

Sentia-me muito menos perturbado com as histórias mais vagas que contavam sobre lamentos e uivos ouvidos no vale desolado varrido pelo vento que ficava ao pé do penhasco de calcário; sobre o fétido cheiro proveniente das sepulturas após as chuvas de primavera; da coisa branca que se debatia e guinchava com a qual o cavalo de Sir John Clave se assustara em uma noite no meio de um campo solitário, ou do servo que tinha enlouquecido por causa de algo indefinível que teria visto no priorado em plena luz do dia. Tudo isso não passava de crenças fantasmagóricas banais e, naquela época, eu era um cético declarado. Já os relatos sobre aldeões desaparecidos deviam ser levados mais a sério, apesar de não serem particularmente significativos à luz dos costumes medievais. A curiosidade indiscreta significava a morte, e mais de uma cabeça cortada havia sido exibida ao público nos bastiões – agora felizmente eliminados – ao redor do priorado de Exham.

Algumas das histórias eram extremamente pitorescas, a ponto de me fazer desejar ter estudado mais mitologia comparada em minha juventude. Por exemplo, existia a crença de que uma legião de demônios com asas de morcego se reunia todas as noites no priorado para celebrar seus rituais de bruxaria, legião cuja subsistência nutricional poderia explicar a abundância desproporcional de vegetais selvagens colhidos naqueles enormes jardins. A mais vívida de todas as histórias que circulam sobre o lugar era o épico dramático dos ratos – a história de um exército insaciável de vermes obscenos que debandaram em massa de dentro do castelo três meses depois da tragédia que o condenou ao mais absoluto abandono –, o exército descarnado, pestilento e voraz que varrera tudo em seu caminho, devorando aves, gatos, cães, porcos, ovelhas e até mesmo dois seres humanos infelizes antes de aplacar sua fúria. Em torno dessa inesquecível praga de roedores, gira um ciclo inteiro de mitos, porque se espalhou entre as casas da aldeia, provocando todo tipo de maldições e horrores em seu caminho.

Tais eram as histórias que chegaram ao meu conhecimento quando comecei a empreender, com a obstinação de um velho, as obras de restauração do meu lar ancestral. Não se deve acreditar, nem por um momento, que tais histórias fossem meu principal ambiente psicológico. Por outro lado, tive o apoio firme e constante do capitão Norrys e dos antiquários que me cercavam e ajudavam em minha tarefa. Quando o trabalho terminou, mais de dois anos após o início, eu podia ver os quartos espaçosos, as paredes com lambris, os tetos abobadados, as janelas com fasquias e as escadas amplas com um orgulho que mais do que compensou as despesas consideráveis da restauração.

Cada detalhe da época medieval foi habilmente reproduzido, e as novas partes se harmonizavam perfeitamente com as paredes e fundações originais. O lar dos meus antepassados estava concluído, e agora eu poderia tentar resgatar a fama local da linhagem familiar que terminava em mim. Eu poderia viver ali permanentemente e provaria a todos que um de la Poer (pois eu havia novamente adotado a grafia original do sobrenome) não precisava ser visto como diabólico. Meu conforto foi em parte aumentado pelo fato de que, embora o priorado de Exham tivesse sido construído de acordo com os padrões medievais, seu interior era absolutamente novo e livre de antigos fantasmas e vermes nocivos.

Como eu disse, mudei-me para o priorado de Exham em 16 de julho de 1923. Sete criados e nove gatos me fizeram companhia na minha nova residência, um animal pelo qual sinto uma atração especial. Meu gato mais velho, Negrito, tinha sete anos e viera comigo de Bolton, Massachusetts; o resto dos gatos eu reuni enquanto vivia com a família do capitão Norrys, durante as obras de restauração do priorado.

Durante cinco dias, nossa rotina transcorreu na mais absoluta tranquilidade, e passei a maior parte do tempo catalogando documentos antigos da família. Já tinha obtido alguns relatos bastante detalhados sobre a tragédia final e sobre a partida de Walter de la Poer, que presumi ser o provável conteúdo da carta hereditária perdida no incêndio de Carfax. Aparentemente, meu antepassado fora acusado, com razão, de matar o resto dos habitantes da casa enquanto dormiam, exceto por quatro criados cúmplices, cerca de duas semanas depois de uma descoberta chocante que transformara o seu comportamento, descoberta que ele não deve ter revelado a ninguém além dos criados que colaboraram no assassinato. E, depois disso, fugiu sem deixar sinal.

Essa carnificina deliberada, que incluiu o pai, três irmãos e duas irmãs, foi amplamente tolerada pelos moradores e de tal forma negligenciada pela justiça, que o perpetrador foi capaz de fugir para a Virgínia com todas as honras, sem sofrer qualquer dano ou ter de se disfarçar. O sentimento geral que circulava pela cidade era o de que ele havia libertado aquelas terras da maldição imemorial que pesava sobre elas. Não posso nem imaginar qual teria sido a descoberta que levou meu ancestral a cometer um ato tão abominável. Walter de la Poer já devia conhecer havia anos as histórias sinistras que foram contadas sobre sua família, de maneira que a razão que desencadeou tudo não deve ter sido esse material. Será que ele teria testemunhado algum rito antigo e assustador ou teria ficado frente a frente com algum símbolo obscuro e revelador no priorado ou nos arredores? Na Inglaterra, ele era considerado um jovem tímido e de boas maneiras. Na Virgínia, ele parecia mais um ser de caráter atormentado e apreensivo do que um tipo duro ou amargo. Na descrição que havia no diário de outro aventureiro de ascendência nobre, Francis Harley, de Bellview, ele era um homem sem paralelo no sentido de justiça, honra e delicadeza.

Em 22 de julho, ocorreu o primeiro incidente, que, embora pouca atenção tenha recebido na época, adquire um significado sobrenatural em relação aos eventos subsequentes. Era tão modesto que quase teria passado despercebido, e dificilmente teria sido notado nas circunstâncias daquele momento; deve-se lembrar que, como o novo edifício era quase inteiramente novo, exceto pelas paredes, e servido por criados experientes, qualquer apreensão seria absurda, apesar das histórias sobre o lugar.

O que consigo lembrar agora é só isso: meu velho gato preto, cujo humor eu conhecia tão bem, estava indubitavelmente alerta e inquieto, de um modo totalmente diferente de seu caráter habitual. Andava de um cômodo para outro, dando a impressão de estar inquieto e preocupado com alguma coisa, e constantemente farejava as paredes que faziam parte da estrutura gótica. Entendo perfeitamente que tudo isso soa como uma banalidade – algo como o cachorro inevitável na história de fantasmas, que sempre rosna até que seu mestre finalmente veja a figura embrulhada em lençóis. Contudo, não posso suprimir esse fato.

No dia seguinte, um criado percebeu a inquietação que reinava entre todos os gatos da casa. Eu estava no meu gabinete, um quarto de teto alto voltado para o oeste no segundo andar, com arcos de carvalho escuro e uma tripla janela gótica com vista para o penhasco de calcário e de onde eu podia ver o vale desolado. E mesmo enquanto o criado falava comigo, pude ver a forma saliente de Negrito se arrastando pela parede oeste e arranhando o novo painel que cobria a pedra antiga.

Eu disse ao criado que devia ser algum odor estranho ou emanação da velha cantaria que, embora fosse imperceptível ao nariz humano, devia afetar os órgãos sensíveis dos felinos, apesar de estarem cobertos pelos novos painéis de madeira. Eu realmente acreditava nisso, e quando o homem aludiu à possível presença de roedores, respondi que não houvera ratos naquele lugar por trezentos anos, e que até mesmo os ratos-do-campo das vizinhanças teriam dificuldade para escalar muros tão altos, e nunca tinham sido vistos por ali. Naquela tarde, liguei para o capitão Norrys, que me assegurou que parecia bastante improvável que os ratos--do-campo tivessem subitamente invadido o priorado, pois, até onde ele sabia, não havia precedentes de nada parecido.

Naquela noite, dispensando o camareiro como de costume, retirei-me para o quarto da torre oeste que havia escolhido para mim. Chegava-se a ele pelo gabinete, depois de subir uma escada de pedra e atravessar uma pequena galeria; a primeira, antiga em parte, e a segunda inteiramente restaurada. O quarto era circular, com um teto muito alto e sem forro, e era decorado com algumas tapeçarias que eu mesmo havia comprado em Londres.

Depois de me certificar de que Negrito estava comigo, fechei a pesada porta gótica e me despi à luz das lâmpadas elétricas que imitavam velas com muita perfeição. Depois de um tempo, apaguei a luz e me deixei afundar na cama entalhada com dosséis, com o venerável gato em seu lugar habitual aos meus pés. Não fechei as cortinas, e olhava para a janela estreita voltada para o norte à minha frente. Havia um esboço de aurora no céu, que destacava a silhueta dos arabescos da janela sobre o fundo claro.

Em determinado momento, devo ter adormecido, pois lembro-me claramente de uma sensação de despertar de sonhos estranhos, quando o gato saiu de súbito da posição serena em que se encontrava. Eu podia vê-lo graças ao brilho fraco da aurora: ele estava com a cabeça esticada para frente, as patas dianteiras pregadas nos meus tornozelos e as patas traseiras esticadas para trás. Olhava intensamente para um ponto na parede em algum lugar a oeste da janela, um ponto em que meus olhos não podiam ver nada de especial, mas onde meus cinco sentidos estavam agora concentrados.

Enquanto observava, entendi o motivo da excitação de Negrito. Se as tapeçarias se moveram mesmo ou não, não posso dizer. Achei que sim, embora muito ligeiramente. Mas o que posso jurar é que por trás das tapeçarias ouvi um ruído leve, mas distinto, de ratos ou camundongos. No instante seguinte, o gato se lançou sobre a tapeçaria, que caiu ao chão com seu peso, revelando uma velha parede de pedra úmida, remendada aqui e ali pelos restauradores e na qual não se via o menor traço de roedores.

Negrito corria de um lado para o outro naquela parte da parede, arranhando o tapete caído e às vezes tentando inserir suas garras entre a parede e o assoalho de carvalho. Mas não encontrou nada, e depois de um tempo voltou muito cansado para a sua posição habitual aos meus pés. Não saí da cama, mas não voltei a dormir naquela noite.

Na manhã seguinte, interroguei todos os criados, mas ninguém havia notado nada de anormal, exceto pela cozinheira, que se lembrou do comportamento anormal de um gato que dormira no parapeito de sua janela. O gato em questão começou a miar a uma certa hora da noite, acordando a cozinheira a tempo de vê-lo disparar pela porta aberta e descer as escadas. Cochilei um pouco depois do almoço e, quando acordei, fui visitar novamente o capitão Norrys, que demonstrou especial interesse pelo que lhe contei. Os estranhos incidentes – tão sem importância e ao mesmo tempo tão curiosos – despertaram nele a sensação do pitoresco, e trouxeram à memória muitas lembranças de histórias locais sobre fantasmas. Ambos estávamos perplexos com a presença dos ratos, e Norrys me emprestou algumas ratoeiras e um pouco de verde-paris que, ao voltar para casa, pedi que os criados colocassem em lugares estratégicos.

Recolhi-me cedo porque estava com muito sono, mas fui atormentado pelos pesadelos mais terríveis. Neles, eu olhava de uma altura impressionante para uma gruta escura cujo chão estava coberto por uma espessa camada de imundícies que iam até a altura dos meus joelhos. Dentro da gruta havia um demônio de barbas grisalhas com roupas de guardador de porcos que pastoreava com seu cajado um bando de feras fungiformes e flácidas, cuja visão por si só me causava uma repugnância indescritível. Então, quando o homem parou e fez um sinal com a cabeça para seu rebanho, um enxame impressionante de ratos desceu para o abismo fedorento e começou a devorar os animais e o homem.

Depois de uma visão tão aterrorizante, acordei abruptamente com os movimentos bruscos de Negrito, que, como sempre, dormia aos meus pés. Dessa vez não tive dúvidas sobre a origem de seus grunhidos e sibilos, nem sobre o medo que o levara a afundar as garras em meus tornozelos, sem saber de seu efeito, porque as quatro paredes da sala fervilhavam com um som doentio: o chiado nauseante de ratos vorazes e gigantes. Dessa vez não havia aurora para ver em que situação estava a tapeçaria cuja seção caída fora substituída, mas eu não estava tão assustado a ponto de não acender a luz.

Quando as lâmpadas brilharam, vi toda a tapeçaria se agitando horrivelmente, fazendo com que os desenhos um tanto originais executassem uma singular dança da morte. A agitação desapareceu quase instantaneamente e, com isso, também os ruídos. Saltei da cama, vasculhei a parede com o cabo longo da escalfeta que estava próxima e levantei parte da tapeçaria para ver o que havia embaixo, mas não encontrei nada além da parede de pedra restaurada, e mesmo o gato já havia saído do estado de estresse pela presença anormal. Quando examinei a armadilha circular que havia colocado na sala, pude ver que todos os buracos foram forçados, embora não houvesse vestígio do que deveria ter escapado depois de cair na armadilha.

É claro que nem me passou pela cabeça voltar para a cama, então acendi uma vela, abri a porta e saí para a galeria em direção às escadas que levavam ao meu gabinete, com Negrito sempre preso aos meus calcanhares. Antes de chegar à escadaria de pedra, no entanto, o gato disparou na minha frente e desapareceu depois da seção antiga. Quando desci as escadas, percebi os ruídos que vinham da grande sala abaixo, sons de uma natureza inconfundível.

As paredes com painéis de carvalho estavam cheias de ratos, que corriam e roíam em uma agitação incomum, enquanto Negrito corria de um lado ao outro com a fúria de um caçador desorientado. Quando cheguei ao andar, acendi as luzes, mas dessa vez o ruído não diminuiu. Os ratos continuavam alvoroçados, debandando com um barulho tão estrondoso e nítido que, finalmente, não foi difícil para mim atribuir uma direção precisa aos seus movimentos. Aquelas criaturas, em número aparentemente incalculável, estavam engajadas em um impressionante movimento migratório de alturas inimagináveis para uma profundidade incalculável.

Naquele momento, ouvi passos no corredor e, alguns instantes depois, dois criados abriram a porta maciça de uma só vez. Estavam todos vasculhando a casa inteira em busca da origem da perturbação que levou todos os gatos da casa ao pânico, fazendo-os lançar miados estridentes e apressadamente pular vários lances de escada para chegar à porta fechada para o porão, onde se agacharam enquanto miavam. Perguntei aos criados se eles tinham ouvido os ratos, mas a resposta deles foi negativa. E, quando me virei para chamar a atenção para os sons que vinham de dentro dos painéis, percebi que o barulho havia cessado.

Com os dois homens, desci até a porta do porão, mas àquela altura os gatos já haviam se dispersado. Então, decidi explorar a cripta abaixo, mas naquele momento apenas inspecionei as ratoeiras. Todas estavam desarmadas, mas vazias. Dando-me por satisfeito porque, exceto os gatos e eu, ninguém ouvira o barulho dos ratos, sentei-me em meu gabinete até o amanhecer para refletir profundamente sobre cada fragmento de lenda que havia desenterrado a respeito da propriedade em que eu morava.

Dormi um pouco de manhã, reclinado na única poltrona confortável da biblioteca que meu projeto de decoração medieval não conseguira abolir. Quando acordei, telefonei para o capitão Norrys, que apareceu depois de um tempo e me foi explorar o porão ao meu lado.

Não encontramos nada que nos chamasse a atenção, embora não pudéssemos reprimir um calafrio quando soubemos que a cripta havia sido construída pelos romanos. Todos os arcos baixos e pilares gigantescos eram de estilo romano; não do estilo degradado dos saxões atrapalhados, mas do classicismo severo e harmônico da época dos césares. De fato, as paredes eram repletas de inscrições familiares aos antiquários que haviam explorado repetidamente o local. Era possível ler coisas como "P. GETAE PROP... TEMP... DONA..." e "L. PRAEC... VS... PONTIFI... ATYS...".

A referência a Átis me deu um arrepio, pois eu havia lido Catulo e sabia algumas coisas sobre os rituais abomináveis dedicados ao deus oriental, cujo culto era em grande parte misturado ao de Cibele. Norrys e eu, à luz das lanternas, tentamos interpretar os desenhos estranhos e desbotados de alguns blocos de pedra irregularmente retangulares que deviam ter sido altares no passado, mas não tivemos sucesso. Lembramo-nos de que um desses desenhos, uma espécie de sol do qual os raios saíam em todas as direções, fora escolhido pelos estudantes para indicar uma origem não romana, sugerindo que os padres romanos se limitaram a adotar esses altares, que viriam de um templo mais antigo e provavelmente aborígene criado no mesmo local. Em um desses blocos havia manchas marrons que me fizeram pensar. O maior de todos, um bloco que ficava no centro da sala, tinha certos detalhes na face superior que indicavam que estivera em contato com o fogo, provavelmente oferendas incineradas.

Tais eram as coisas que pudemos ver naquela cripta, diante de cuja porta os gatos estavam miando e onde eu e Norrys havíamos decidido passar a noite. Os criados, que foram avisados para não se preocuparem com os movimentos noturnos dos gatos, trouxeram dois divãs, e Negrito foi admitido como auxiliar e como companheiro. Consideramos oportuno vedar hermeticamente a grande porta de carvalho – uma réplica moderna com fendas para ventilação –, e depois nos retiramos com as lanternas ainda acesas para esperar o que quer que pudesse acontecer.

A cripta ficava nas profundezas das fundações do priorado e, sem dúvida, muito abaixo da superfície do precipício de pedra calcária que dominava o vale desolado. Não duvidei de que esse fosse o objetivo dos infatigáveis e inexplicáveis ratos, embora não pudesse saber o motivo. Enquanto esperávamos, ansiosos, minha vigília se misturava ocasionalmente a sonhos imprecisos, dos quais eu era despertado pelos movimentos inquietos do gato que, como sempre, estava aos meus pés.

Naquela noite, meus sonhos não foram nada agradáveis; pelo contrário, eram tão assustadores quanto os da noite anterior. Mais uma vez, a gruta sinistra aparecia diante de mim na escuridão e o guardador de porcos e seus indizíveis monstros fungiformes chafurdavam na lama. Olhando para os seres, pareceu-me que eles estavam mais perto e mais distintos, tão distintos que quase podia ver seus traços físicos. Então, pude ver a fisionomia flácida de um deles, e acordei de repente, gritando tão alto que Negrito saltou violentamente, enquanto o capitão Norrys, que não havia pregado os olhos a noite toda, soltou uma gargalhada. Norrys teria gargalhado ainda mais – ou quem sabe se menos – se soubesse o motivo do meu grito estrondoso. Mas eu só me lembrei dele tempos depois: o horror absoluto, com frequência, tem a virtude misericordiosa de paralisar a memória.

Norrys me acordou quando o fenômeno começou a se manifestar. Acordou-me com uma sacodida gentil e me tirou daquele sonho terrível, insistindo para que eu ouvisse o barulho dos gatos. De fato, havia muito a ouvir! Porque do outro lado da porta trancada, ao pé da escada de pedra, havia um burburinho real de gatos miando e arranhando a madeira enquanto Negrito, completamente desatento ao que seus semelhantes estavam fazendo, corria loucamente ao longo das paredes de pedra, nas quais pude perceber claramente a mesma agitação de ratos correndo que me atormentaram tanto na noite anterior.

Então um terror indescritível cresceu dentro de mim, porque essas anomalias não podiam ser explicadas por procedimentos normais. Aqueles ratos, se não eram fruto de um estado febril que só eu compartilhava com os gatos, deviam ter sua toca entre as muralhas romanas que eu julgara serem formadas por blocos de calcário sólido. A menos, talvez, que a ação da água ao longo de mais de dezessete séculos tenha escavado túneis sinuosos que os roedores teriam posteriormente alargado e ampliado. Mas, mesmo assim, o horror espectral que eu experimentava não era menor; pois, supondo que fossem vermes de carne e osso, por que Norrys não ouvia aquele alvoroço repugnante? Por que ele me pedia para observar Negrito e ouvir os miados dos gatos lá fora? E por que tentava intuir, vagamente e sem nenhum fundamento, os motivos que os levavam a despertar e promover essa balbúrdia?

Quando consegui contar a ele, da maneira mais racional que pude, o que achei estar ouvindo, o último som fraco daquela incansável balbúrdia chegou aos meus ouvidos. Agora, parecia que o barulho recuava, podia ser ouvido mais abaixo, bem abaixo do nível do porão, a ponto de o precipício inteiro parecer estar cheio de ratos em uma agitação contínua. Norrys não foi tão cético quanto eu havia previsto. Ao contrário, parecia estar profundamente impressionado. Indicou por sinais que o barulho dos gatos tinha parado, como se tivessem dado os ratos por perdidos. Enquanto isso, Negrito estava inquieto de novo e freneticamente arranhava a base do grande altar de pedra erguido no centro da sala, que estava mais perto do divã de Norrys do que do meu.

Nesse momento, meu medo do desconhecido alcançava proporções inimagináveis. Algo surpreendente estava acontecendo, e eu podia ver como o capitão Norrys, um homem mais jovem, corpulento e, presumivelmente, mais materialista, estava tão inquieto quanto eu; provavelmente porque estava bem familiarizado com toda a lenda local. No momento, não podíamos fazer nada, a não ser simplesmente observar como Negrito afundava suas garras na base do altar, cada vez com menos fervor, levantando ocasionalmente a cabeça e miando para mim como costumava fazer quando queria que eu fizesse alguma coisa para ele.

Norrys pegou uma lanterna, foi em direção ao altar e examinou de perto o lugar onde Negrito estava arranhando. Ajoelhou-se em silêncio e limpou os liquens que estavam lá havia séculos e que uniam o maciço bloco pré-romano ao pavimento de ladrilhos. Mas não encontrou nada incomum, e estava prestes a desistir de seus esforços quando notei uma circunstância trivial que me fez estremecer, embora não significasse nada a mais do que eu já havia imaginado.

Compartilhei minha descoberta com Norrys, e nós dois começamos a examinar essa manifestação quase imperceptível com a fixidez de alguém que faz uma descoberta fascinante que confirma suas pesquisas. Em suma, foi o seguinte: a chama da lanterna colocada perto do altar agora se inclinava de forma leve, mas evidentemente, devido a uma corrente de ar que não recebia antes, e que certamente vinha da fenda entre o pavimento e o altar onde Norrys estivera retirando os liquens.

Passamos o resto da noite no gabinete inundado de luz, discutindo com certo nervosismo o que fazer a seguir. A descoberta de uma cripta ainda mais profunda que a mais profunda alvenaria romana conhecida sob as fundações dessas ruínas malditas, uma cripta que tinha passado despercebida por antiquários experientes que exploraram o edifício durante três séculos, já teria sido suficiente para nos alvoroçar, ainda que não estivesse relacionada a nada sinistro. Da forma como aconteceu, o fascínio era duplo, e hesitamos, sem saber se deveríamos ceder em nossas investigações e abandonar para sempre o priorado por precaução supersticiosa ou satisfazer nosso senso de aventura e enfrentar quaisquer que fossem os horrores que nos esperavam nesses abismos desconhecidos.

De manhã, chegamos a um acordo: iríamos a Londres em busca de arqueólogos e cientistas treinados para desvendar esse mistério. Devo dizer também que, antes de deixar o porão, tentamos em vão mover o altar central, que agora reconhecíamos como sendo a porta de entrada para novos abismos de inominável terror. Que segredos poderiam abrir aquela porta, homens mais eruditos que nós iriam revelar.

Durante a nossa longa estadia em Londres, o capitão Norrys e eu relatamos os fatos, conjecturas e histórias lendárias a cinco autoridades científicas eminentes, todas elas pessoas em quem sabíamos que poderíamos depositar nossa confiança para lidar com a devida discrição com qualquer revelação sobre a família que pudesse emergir no curso das investigações. A maioria desses homens parecia pouco inclinada a encarar o assunto com leviandade; pelo contrário, desde o primeiro momento mostraram um grande interesse e um sincero entendimento. Não creio que seja necessário dar nome a todos os envolvidos, mas posso dizer que entre eles estava William Brinton, cujas escavações na Trôade atraíram a atenção do mundo inteiro naquela época. Ao tomar com eles o trem para Anchester, senti uma espécie de mal-estar, quase como se estivesse à beira de revelações chocantes, uma sensação refletida no semblante triste de muitos americanos que vivem em Londres devido à morte inesperada do presidente do outro lado do oceano.

Na tarde de 7 de agosto, chegamos ao priorado de Exham, onde os criados me asseguraram de que nada de estranho acontecera durante a minha ausência. Os gatos, até mesmo o velho Negrito, estavam absolutamente calmos e nenhuma ratoeira havia sido desarmada em toda a casa. As explorações deveriam começar no dia seguinte.

Isso decidido, atribuí a cada um dos hóspedes quartos equipados com tudo o que eles poderiam precisar.

Fui dormir em meu quarto da torre, com Negrito sempre aos meus pés. Logo adormeci, mas os sonhos terríveis voltaram a me atormentar. Tive uma visão de uma festa romana, como a de Trimálquio, na qual pude ver uma monstruosidade abominável em uma travessa coberta. Então, vi novamente aquela maldita e recorrente visão do guardador de porcos e seu rebanho fedorento na gruta escura. Mas, quando acordei, já era dia e eu ouvia os ruídos normais da parte de baixo da casa. Os ratos, reais ou imaginários, não me tinham incomodado nem um pouco, e Negrito ainda dormia em paz. Quando desci, vi que no resto da casa prevalecia a mesma tranquilidade. De acordo com um dos cientistas que me acompanhava – um homem chamado Thornton, que estudava os fenômenos psíquicos –, essa condição de tranquilidade se devia ao fato de que eu agora tinha conhecimento das coisas que certas forças desconhecidas queriam me mostrar; raciocínio que, de fato, eu achei bastante absurdo.

Tudo estava pronto para começar. Por isso, às onze horas daquele dia, o nosso grupo composto por sete homens, todos equipados com lâmpadas elétricas e ferramentas para escavação poderosas, desceu para o porão e a porta foi trancada atrás de nós. Negrito acompanhou-nos, porque os pesquisadores não acharam apropriado desprezar sua excitabilidade e preferiam que ele estivesse presente no caso de manifestações obscuras dos roedores. Paramos para observar por um breve momento as inscrições romanas e os desenhos indecifráveis do altar, porque três dos cientistas já as tinham visto e todos estavam cientes de suas características. Especial atenção foi dada ao imponente altar central; depois de uma hora, Sir William Brinton conseguiu incliná-lo para trás, graças à ajuda de uma espécie de alavanca para mim desconhecida.

E foi então que, diante de nós, revelou-se um espetáculo horroroso ao qual não saberíamos como reagir se não estivéssemos preparados. Através de um buraco quase quadrado aberto no chão de azulejos, e espalhados ao longo de um lance de escadas com degraus tão desgastados que mais parecia uma superfície inclinada no centro, havia uma profusão horrível de ossos de origem humana ou, pelo menos, semi-humana. Os que ainda mantinham a configuração original de esqueletos mostravam atitudes de pânico infernal e, em todos os ossos, via-se traços de mordidas de roedores. As caveiras e crânios revelavam pertencer a idiotas e cretinos, e havia até mesmo a possibilidade de que fossem restos pré-históricos de antropoides.

Sobre os degraus recobertos de despojos, abria-se uma passagem descendente em forma de arco, que parecia ter sido esculpida na rocha sólida e através da qual circulava uma corrente de ar. Mas essa corrente não era um sopro agudo e fedorento como se viesse de uma cripta aberta abruptamente, mas uma brisa agradável com um pouco de ar fresco. Depois de parar por um momento, preparamo-nos, em meio a um calafrio geral, para abrir uma passagem nas escadas. Foi então que Sir William, depois de examinar cuidadosamente as paredes esculpidas, fez a surpreendente observação de que a passagem, de acordo com a direção dos golpes, parecia ter sido esculpida de baixo para cima.

Agora devo ponderar diligentemente sobre o que digo e escolher as palavras com muito cuidado.

Depois de descermos alguns degraus em meio aos ossos roídos, vimos uma luz à nossa frente; não era uma fosforescência mística ou qualquer coisa assim, mas a luz solar filtrada que não poderia vir senão de fissuras desconhecidas abertas no penhasco que dava vistas para o vale desolado. Não havia nada particularmente admirável no fato de que ninguém tivesse conhecimento da existência das fendas por fora, porque além de o vale ser totalmente desabitado, a encosta do penhasco era de uma altura tal que só um aeronauta poderia estudar a encosta em detalhes. Mais alguns passos e nossa respiração foi literalmente arrebatada pela visão que nos foi oferecida; tão literalmente que Thornton, o pesquisador psíquico, caiu inconsciente nos braços dos homens atordoados que estavam atrás dele. Norrys, seu rosto rechonchudo completamente pálido e flácido, simplesmente soltou um grito inarticulado, e quanto a mim, acho que arfei ou abri a boca e cobri os olhos.

O homem que estava atrás de mim – o único membro do grupo que era mais velho que eu – pronunciou o tradicional "Meu Deus!" com a voz mais trêmula que já ouvi. Do total de sete exploradores, só Sir William Brinton manteve a compostura, algo que deve receber crédito, principalmente porque liderava o grupo e, portanto, deve ter sido o primeiro a ver tudo.

Nós estávamos de frente para uma gruta iluminada por uma luz fraca e enormemente alta, que se estendia além do campo de nossa visão. Todo um mundo subterrâneo de infinito mistério e horríveis sugestões se abriu diante de nós. Havia construções e outros destroços arquitetônicos. Em um olhar de relance, pude ver, apavorado, um túmulo com estranho formato, um círculo imponente de monólitos, ruínas romanas com abóbadas baixas, uma pira funerária saxã e uma construção de madeira em ruínas da Inglaterra primitiva. Mas tudo isso era ofuscado pelo espetáculo repugnante que podia ser visto por toda a extensão do terreno: por vários metros ao redor da escada se estendia uma mistura insana de ossos humanos, ou pelo menos ossos tão humanos quanto os que tínhamos visto alguns metros atrás. Como um mar de espuma, esses ossos cobriam toda a extensão do local, alguns soltos, outros articulados total ou parcialmente como esqueletos; esses últimos estavam em posições que refletiam um frenesi diabólico, como se estivessem lutando contra alguma ameaça ou agarrando outros corpos com intenções canibais.

Quando o Dr. Trask, o antropólogo, parou para examinar e identificar os crânios, descobriu que eram formados por uma mistura degradada que o deixou mergulhado na mais completa perplexidade. Na maior parte, esses restos pertenciam a seres de uma raça bem inferior ao Homem de Piltdown na escala da evolução, mas, de qualquer forma, eram indubitavelmente de origem humana. Muitos eram crânios de maior evolução, e apenas alguns pertenciam a seres com sentidos e cérebros plenamente desenvolvidos. Todos os ossos estavam roídos, especialmente por ratos, mas também por outros seres daquela alcateia semi-humana. Misturados a eles, havia muitos ossos pequenos de ratos, guerreiros derrotados do exército letal que encerrava a tragédia antiga.

Duvido que algum de nós tenha mantido sua lucidez depois daquele dia de terríveis descobertas. Nem Hoffmann nem Huysmans poderiam imaginar uma cena mais surpreendentemente incrível, mais atroz e repulsiva, ou mais gótica e grotesca do que aquela oferecida pela visão da gruta sombria em que nós sete avançávamos vacilantes. Tropeçávamos de revelação em revelação, ao mesmo tempo em que tentávamos afastar da mente qualquer pensamento sobre o que poderia ter acontecido naquele lugar trezentos, mil, dois mil ou quem sabe dez mil anos antes. Aquele lugar era a antecâmara do inferno e o pobre Thornton desmaiou de novo quando Trask lhe disse que alguns daqueles esqueletos deviam descender de quadrúpedes até as vinte ou mais gerações que os precederam.

Um horror seguia-se a outro quando começamos a interpretar as ruínas arquitetônicas. Os seres quadrúpedes – com seus recrutas ocasionais da classe dos bípedes – eram mantidos em jaulas de pedra, de onde devem ter fugido em seu delírio final, causado pela fome ou pelo medo dos roedores. Deve ter havido grandes rebanhos, evidentemente engordados com os vegetais bravos cujos restos ainda podiam ser encontrados na forma de silagem venenosa no fundo de grandes vasos de pedra pré-romanos. Agora eu entendia por que meus antepassados tinham jardins tão imensos. Eu gostaria de poder relegar tudo ao esquecimento! A finalidade dos rebanhos não era mais mistério para mim.

Sir William, de pé e focando sua lanterna na ruína romana, traduziu em voz alta o ritual mais chocante de que tive conhecimento e falou sobre a dieta do culto antediluviano que os sacerdotes de Cibele encontraram e incorporaram aos seus.

Norrys, acostumado como era à vida das trincheiras, não conseguia andar em linha reta quando saiu da construção inglesa. O edifício em questão era um açougue e cozinha – ele já esperava por isso –, mas era demais ver utensílios ingleses familiares em tal lugar e ler grafia familiar inglesa ali, algumas inclusive relativamente recentes, datadas de 1610. Não me atrevi a entrar no edifício que testemunhara celebrações diabólicas que só foram interrompidas pela adaga de meu ancestral Walter de la Poer.

Mas me aventurei a entrar na construção saxã baixa, cuja porta de carvalho estava no chão, e lá encontrei uma fileira impressionante de dez celas de pedra com barras enferrujadas. Três tinham ocupantes, todos esqueletos de evolução avançada, e no osso do dedo indicador de um deles encontrei um anel com o meu brasão. Sir William encontrou uma cripta com celas ainda mais antigas sob a capela romana, mas estavam vazias. Sob elas havia uma cripta de teto baixo cheia de nichos com ossos alinhados, alguns dos quais exibiam terríveis inscrições geométricas esculpidas em latim, em grego e na língua frígia.

Enquanto isso, o Dr. Trask abrira um dos túmulos pré-históricos, descobrindo em seu interior crânios de escassa capacidade, pouco mais desenvolvidos que os dos gorilas, com sinais ideográficos indecifráveis. Meu gato passeava imperturbável diante de todo aquele show de horrores. Uma vez eu o vi monstruosamente trepado em uma montanha de ossos, e me perguntei que segredos poderiam estar escondidos atrás daqueles olhos amarelos.

Depois de ter observado até certo ponto as revelações terríveis escondidas nessa área envolta em penumbra – a caverna escura que tão terrivelmente antevi em meus sonhos recorrentes –, voltamo-nos a esse aparente abismo sem fim, para a caverna escura onde nem um único raio de luz do penhasco conseguia penetrar. Nunca saberemos que invisíveis mundos de Estige se abriram além da pequena distância que percorremos, porque decidimos que o conhecimento de tais segredos poderiam não ser benéficos para a humanidade. Mas havia coisas suficientes para olhar à nossa volta, porque só tínhamos dado alguns passos quando as lanternas expuseram uma infinidade de poços assustadores em que os ratos se banqueteavam e cuja súbita falta de reabastecimento levara a raivosa hoste de roedores, em um primeiro momento, a se lançar sobre os rebanhos de seres vivos enfraquecidos pela inanição e, em seguida, a se precipitarem para fora do priorado naquela histórica orgia de devastação que os habitantes locais nunca esquecerão.

 Meu Deus! Aqueles poços imundos cheios de ossos quebrados e sem carne e crânios perfurados! Aqueles abismos de pesadelo transbordando de ossos de pitecantropos, celtas, romanos e ingleses de incontáveis séculos de vida não santificada! Alguns deles estavam cheios e seria impossível dizer o quanto tinham sido profundos outrora. Em outros, a luz dos holofotes não conseguia alcançar o fundo e eles estavam cheios das coisas mais incríveis. E o que teria sido, pensei, dos infelizes ratos que se precipitaram naqueles buracos no meio da escuridão do tão terrível Tártaro?

 Em uma ocasião, meu pé escorregou perto de um daqueles horríveis buracos abertos, fazendo-me passar por alguns momentos de terror paralisante. Devo ter sido absorvido por um longo tempo, porque, exceto o capitão Norrys, não vi ninguém do grupo. Em seguida, veio um som daquela vastidão escura e infinita, que pensei ter reconhecido, e vi meu velho gato preto passar rapidamente diante de mim, como se fosse um deus egípcio alado, para mergulhar direto nas profundezas insondáveis do desconhecido. Mas também não me demorei muito, pois naquele momento entendi perfeitamente o que era: era a cavalgada horripilante daqueles ratos diabólicos, sempre em busca de novos horrores e determinados a me arrastar ainda mais para o fundo daquelas intrincadas cavernas no centro da Terra, onde Nyarlathotep, o enlouquecido deus sem rosto, uiva cegamente na escuridão mais escura ao som das flautas de dois faunos idiotas.

 Minha lanterna se apagou, mas isso não me impediu de correr. Eu ouvia vozes, gritos e ecos, mas acima de tudo se erguia aquele tropel abominável e inconfundível, inicialmente de forma tênue e, em seguida, mais intensamente, como um cadáver rígido e inchado que suavemente desliza para cima no fluxo de um rio de gordura que corre sob pontes intermináveis de ônix para terminar em um mar negro e pútrido.

 Algo me tocou, uma coisa flácida e gorda. Devem ter sido os ratos; o exército viscoso, gelatinoso e faminto que encontra prazer em vivos e mortos. Por que não comiam os de la Poer, se os de la Poer comiam coisas proibidas? A guerra devorou meu filho, todos para o inferno! E as chamas dos ianques devoravam Carfax e reduziram a cinzas o velho Delapore e o segredo da família... Não, não, já disse que não sou o demônio guardador de porcos da gruta escura! Não era o rosto gordo de Edward Norrys naquele ser flácido e fungiforme! Quem disse que sou um de la Poer? Ele estava vivo, mas o meu filho morreu! Como pode um Norrys ficar na posse das terras de um de la Poer? É vodu, estou dizendo... aquela víbora manchada... Maldito seja, Thornton! Vou ensiná-lo a desmaiar diante das obras da minha família! Pelas unhas de Cristo, patife, você vai gostar do sangue... mas você quer segui-los através desses recantos infernais?... *Magna Mater! Magna Mater!... Atys... Dia ad aghaidh's ad aodann... agus bas dunach ort!... Dhonas's dholas ort, agus leat-sa!... Ungl... ungl... rrlh... chchch...*

Essas e outras coisas, segundo contam, eu dizia quando me encontraram no meio da escuridão três horas depois. Eu estava agachado, encolhido naquela escuridão sobre o corpo atarracado e meio devorado do capitão Norrys, enquanto Negrito me atacava e rasgava minha garganta.

Depois disso, implodiram o priorado de Exham, tiraram de mim o meu velho Negrito, e me trancafiaram neste quarto com grades em Hanwell enquanto espalham boatos amedrontadores sobre minha descendência e o que aconteceu naquele dia. Thornton está no quarto ao lado, mas não me deixam falar com ele. Também tentam fazer com que a maioria das coisas conhecidas sobre o priorado não chegue ao conhecimento público. Sempre que falo do pobre Norrys, acusam-me de ter cometido algo terrível, mas devem saber que eu não fiz aquilo. Devem saber que foram os ratos, os nojentos ratos tumultuosos, cuja cavalgada nunca me deixará dormir. Os ratos diabólicos que correm por trás das paredes rebocadas do quarto onde estou agora, e me chamam para horrores que não podem ser comparados com aqueles até então conhecidos; os ratos que eles nunca poderão ouvir; os ratos, os ratos nas paredes.

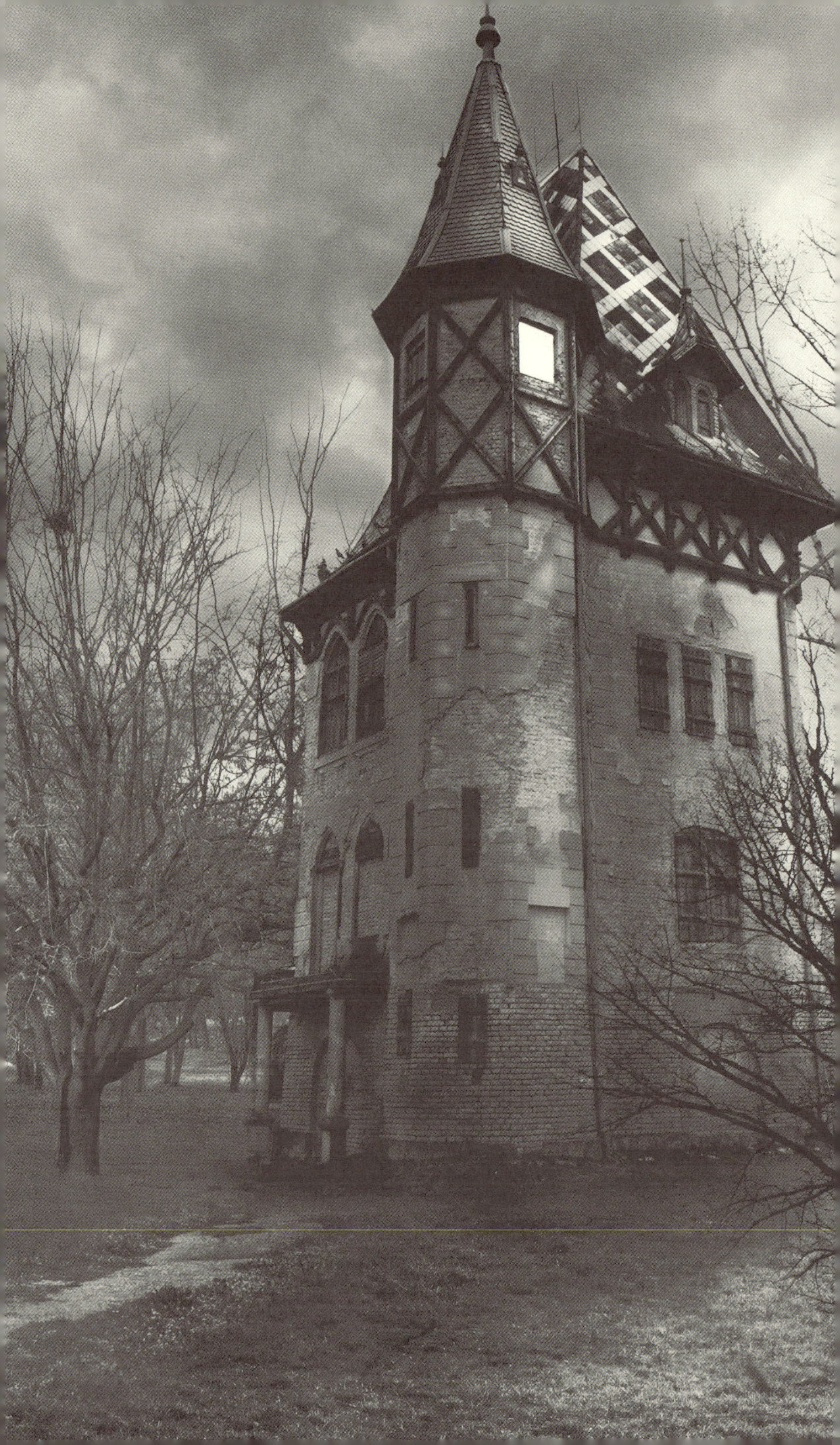

Os sonhos na casa da bruxa

Walter Gilman não sabia se eram os sonhos que causavam a febre ou se a febre era a causa dos sonhos. Por trás de tudo, rastejava o horror bolorento e pungente da antiga cidade e do sótão execrável onde ele escrevia, estudava e lutava contra números e fórmulas quando não estava encolhido em sua miserável cama de ferro. Seus ouvidos estavam se tornando sensíveis de uma forma antinatural e insuportável, e fazia tempo que ele havia parado o relógio barato da lareira, cujo tique-taque parecia ter se transformado em um trovão de artilharia. À noite, os rumores discretos da cidade escura, a correria sinistra dos ratos nas paredes frágeis e o ranger de tábuas invisíveis na casa centenária eram suficientes para dar a ele uma sensação de agitação estridente. A escuridão era sempre cheia de ruídos inexplicáveis e, no entanto, Gilman às vezes estremecia de medo que esses sons desaparecessem e permitissem que ele ouvisse outros sons, mais vagos, que esses ocultavam.

Ele estava na cidade de Arkham, congelada no tempo e cheia de lendas, com seus telhados amontoados em estilo holandês que oscilavam sobre os sótãos onde as bruxas se escondiam dos homens do rei nos sombrios tempos coloniais. E, em toda a cidade, não havia lugar com memórias mais macabras do que o sótão que abrigava Gilman, pois havia sido precisamente nesta casa e neste quarto que se escondera Keziah Mason, cuja fuga da prisão de Salém permanecia inexplicável. Isso acontecera em 1692: o carcereiro tinha enlouquecido e delirava sobre algo peludo, pequeno e com presas brancas que saíra correndo da cela de Keziah, e nem mesmo Cotton Mather sabia explicar as curvas e ângulos desenhados nas paredes de pedra cinzenta com algum líquido vermelho e pegajoso.

Talvez Gilman não devesse ter estudado tanto. O cálculo não euclidiano e a física quântica são suficientes para violentar qualquer cérebro, e quando eles se misturam a lendas populares e se tenta rastrear um estranho fundo de realidade multidimensional por trás das sugestões horrivelmente cruéis de contos góticos e sussurros fantásticos no canto da lareira, dificilmente se pode esperar estar completamente livre de uma certa tensão mental. Gilman era de Haverhill, mas somente depois de entrar na faculdade, em Arkham, começara a associar seu conhecimento matemático com as fantásticas lendas da magia antiga. Havia algo no ambiente da cidade antiga que agia sombriamente em sua imaginação. Os professores da Universidade de Miskatonic tinham recomendado que ele fosse mais devagar e reduziram voluntariamente seus estudos em vários pontos. Além disso, ele fora proibido de consultar os antigos e duvidosos tratados sobre segredos ocultos que ficavam trancados a sete chaves na biblioteca da universidade. Mas essas precauções chegaram tarde, de modo que Gilman já tinha conseguido obter alguns dados terríveis do temido *Necronomicon*, de Abdul Alhazred, do fragmentário *Livro de Eibon*, e do proibido *Unaussprechlichen Kulten*, de Von Junzt, que ele correlacionava com suas fórmulas abstratas sobre as propriedades do espaço e a conexão entre dimensões conhecidas e desconhecidas.
   Ele sabia que seu quarto ficava na antiga casa da bruxa; na verdade, tinha alugado o quarto por esse motivo. Nos arquivos do condado de Essex figuravam inúmeros dados sobre o julgamento de Keziah Mason, e o que essa mulher tinha admitido sob pressão ao Tribunal de Oyer e Terminer fascinava Gilman a um ponto além do razoável. Keziah falara ao juiz Hathorne sobre linhas e curvas que poderiam ser desenhadas para indicar direções que levavam através das paredes do espaço para outros espaços além, insinuara que essas linhas e curvas eram frequentemente utilizadas em determinadas reuniões à meia-noite, realizadas no escuro vale da pedra branca que ficava além de Meadow Hill, e também na ilha inabitada do rio. Ela também falara do Homem Negro, do juramento que havia feito e de seu novo

nome secreto, Nahab. Depois disso, desenhara essas figuras na parede de sua cela e desaparecera.

Gilman acreditava nas coisas estranhas sobre Keziah, e sentia uma emoção curiosa ao saber que a casa em que ela vivera ainda estava de pé depois de mais de duzentos e trinta anos. Quando ouviu os boatos e burburinhos que corriam por Arkham sobre a presença persistente de Keziah na antiga casa e nas ruas estreitas, sobre as marcas irregulares de presas humanas deixadas em algumas pessoas adormecidas daquela e de outras casas, sobre os gritos infantis ouvidos na Noite de Santa Valburga e no dia de Todos os Santos, do fedor percebido no sótão do prédio antigo logo após esses dias temidos e sobre a coisa pequena e peluda de presas afiadas que rondava a velha casa e a cidade e cheirava as pessoas com curiosidade nas horas escuras antes do amanhecer, ele decidiu viver ali a todo custo. Era fácil conseguir um quarto, já que a casa era mal vista, difícil de alugar e fazia muito tempo que estava entregue a aluguéis baratos. Ele não sabia dizer o que esperava encontrar ali, mas sabia que queria estar naquele edifício onde alguma circunstância tinha, mais ou menos de repente, dado a uma velha medíocre do século XVII um vislumbre de profundidades matemáticas, talvez mais ousadas do que as mais modernas investigações de Planck, Heisenberg, Einstein e de Sitter.

Ele vasculhou as madeiras e as paredes de gesso em busca de desenhos crípticos em todos os locais acessíveis onde o papel de parede havia se soltado, e em menos de uma semana conseguiu alugar o sótão do leste, onde acreditava-se que Keziah havia se dedicado à bruxaria. Estava vago desde o início, já que ninguém nunca esteve disposto a ocupá-lo por muito tempo e o senhorio polonês tinha medo de alugá-lo. No entanto, nada realmente acontecera com Gilman até que veio a febre. Nenhuma Keziah fantasmagórica rondava nos corredores escuros ou nos quartos, nenhuma coisa pequena e peluda penetrara no quarto sombrio para cheirar Gilman, nem ele encontrou rastros dos feitiços da bruxa, apesar de sua constante busca. Às vezes, andava pelo escuro labirinto de ruas não pavimentadas que cheiravam a mofo, onde casas antigas escuras e de idade ignorada se inclinavam, cambaleavam e olhavam com malícia através das janelas estreitas com vidraças pequenas. Ele sabia que, em outros tempos, tinham acontecido ali coisas estranhas, e pairava no ar uma vaga sensação de que talvez nem tudo o que pertencera a esse passado anômalo tivesse desaparecido, pelo menos não nas ruas mais escuras, estreitas e sinuosamente retorcidas. Em duas ocasiões, ele também remou até a ilhota amaldiçoada do rio e fez um esboço dos estranhos ângulos descritos pelas fileiras de pedras cinzentas cobertas de musgo que havia ali e cuja origem era sombria e imemorial.

O quarto de Gilman era de bom tamanho, mas de formato irregular; a parede norte inclinava-se perceptivelmente para dentro, enquanto o teto baixo inclinava-se suavemente na mesma direção. A não ser por um buraco de rato aberto e de sinais de que outros tantos tinham sido tapados, não havia nenhum acesso – nem sinais de que algum tivesse existido – para o espaço que devia existir entre a parede inclinada e a parede externa da parte norte da casa, embora do lado de fora se pudesse ver que uma janela havia sido emparedada em um tempo muito remoto. O sótão acima do telhado, que devia ter o piso inclinado, também era inacessível. Quando, uma vez, Gilman subiu a escada cheia de teias de aranha que levava ao sótão diretamente acima de seu quarto, encontrou vestígios de uma antiga abertura, agora fechada hermética e fortemente com pranchas velhas fixadas com estacas de madeira, comuns na carpintaria em tempos coloniais. No entanto, o proprietário, apesar de seus muitos pedidos, recusou-se a permitir que ele investigasse o que estava por trás daqueles espaços interditados.

Com o passar do tempo, seu interesse pela parede e pelo teto do quarto aumentou, pois ele começou a adivinhar por trás dos estranhos ângulos da construção um significado matemático que parecia dar vagos indícios ao seu objetivo. A velha bruxa poderia ter tido razões muito boas para viver em um quarto com ângulos estranhos: ela não alegou ter cruzado os limites do mundo espacial conhecido através de certos ângulos? Seu interesse foi gradualmente se desviando dos espaços vazios localizados do outro lado das paredes inclinadas, pois agora parecia que o propósito de tais superfícies se referia ao lado no qual ele se encontrava.

A febre e os sonhos começaram no início de fevereiro. Por algum tempo, parece que os ângulos estranhos do quarto de Gilman tiveram sobre ele um raro efeito, quase hipnótico; e, à medida que o inverno escuro avançava, ele passou a contemplar com uma crescente intensidade a quina onde o teto descendente se juntava à parede inclinada. Naquela época, estava muito preocupado com sua incapacidade de se concentrar nos estudos e começou a temer seriamente pelos resultados dos exames parciais. Também se lamentava pelo seu senso de audição exacerbado. A vida, para ele, tinha se transformado em uma cacofonia persistente e quase insuportável, e havia também aquela impressão constante e amedrontadora de perceber outros sons, procedentes talvez de regiões além da vida, e ele estremecia a qualquer ameaça de ouvir alguma coisa. Quanto aos ruídos concretos, os piores eram os dos ratos nas partições antigas. Às vezes, o arranhar deles não parecia apenas furtivo, mas deliberado. Quando vinham de detrás da parede inclinada do norte, misturavam-se com uma espécie de chocalhar seco e, quando vinham do sótão que ficava acima do teto inclinado, trancado havia mais de um século, Gilman sempre se preparava para o pior, como se esperasse por algo terrível que só aguardava o momento oportuno para descer e destruí-lo completamente.

Os sonhos estavam além do limite da sanidade e Gilman achava que eles eram o resultado conjunto de seus estudos de matemática e das leituras de lendas populares. Ele vinha pensando muito nas regiões vagas que, de acordo com suas fórmulas, tinham de existir para além das três dimensões conhecidas, e na possibilidade de que a velha Keziah Mason, guiada por alguma influência impossível de conjecturar, tivesse encontrado a porta de acesso para essas regiões. Os arquivos amarelados do tribunal do distrito que continham o testemunho da mulher e de seus acusadores sugeriam, de forma terrível, coisas além do alcance da experiência humana, e as descrições da criatura peluda, frenética e pequena que fazia as vezes de um demônio familiar eram desagradavelmente realistas, apesar dos detalhes fantásticos.

Aquele ser, que não era maior do que uma ratazana, e que as pessoas comuns chamavam pitorescamente de "Brown Jenkin", parece ter sido o resultado de um caso notável de sugestão coletiva, porque, em 1692, nada menos que doze pessoas testemunharam tê-lo visto. Além disso, os recentes boatos sobre ele coincidiam de maneira desconcertante e incompreensível. As testemunhas diziam que tinha pelos longos e forma de rato, mas que seu rosto, com presas afiadas e barba, era diabolicamente humano, enquanto suas garras pareciam pequenas mãos. Ele levava mensagens da velha para o diabo e se alimentava do sangue da bruxa, a quem sugava como um vampiro. Sua voz era uma espécie de risada detestável e ele sabia falar todas as línguas do mundo. Das muitas monstruosidades que Gilman via em seus pesadelos, nenhuma lhe causava tanto pavor e repugnância quanto essa figura híbrida, malvada e diminuta, cuja imagem se apresentava de uma forma mil vezes mais odiosa do que aquela que sua mente desperta havia deduzido a partir dos arquivos antigos e dos rumores modernos.

Os pesadelos de Gilman geralmente consistiam em sonhar que caía em abismos intermináveis de crepúsculos inexplicavelmente coloridos e cheios de sons confusos; abismos cujas propriedades materiais e gravitacionais Gilman não podia sequer conceber. Em seus sonhos, ele não andava nem subia, não voava ou nadava ou rastejava; mas sempre experimentava uma sensação de movimento, parte voluntário e parte involuntário. Não tinha um bom julgamento sobre seu próprio estado, pois nunca conseguia ver seus braços, pernas e tronco, que desvaneciam em algum tipo de alteração de perspectiva, mas sentia que a sua organização física e suas faculdades se transmutavam de maneira mágica e se projetavam obliquamente, ainda que conservassem uma certa relação grotesca com suas proporções e propriedades normais.

Os abismos não eram vazios, mas povoados de indescritíveis massas anguladas de um colorido estranho a este mundo, algumas das quais pareciam orgânicas e outras inorgânicas. Alguns dos objetos orgânicos tendiam a despertar lembranças vagas e adormecidas em seu subconsciente, embora não pudesse formar nenhuma ideia consciente do que eles, de uma forma burlesca, imitavam ou sugeriam. Nos sonhos mais recentes, ele começara a distinguir categorias independentes em que os objetos pareciam se dividir, e assumiam em cada caso um tipo radicalmente diferente de padrão de conduta e motivação básica. Dessas categorias, uma parecia incluir objetos que eram um pouco menos ilógicos e irrelevantes em seus movimentos do que os pertencentes às outras categorias.

Todos os objetos, orgânicos e inorgânicos, eram completamente indescritíveis e até incompreensíveis. Às vezes Gilman comparava a matéria inorgânica a prismas, labirintos, grupos de cubos e planos e a construções ciclópicas; e as coisas orgânicas lhe davam sensações diversas, de conjuntos de bolhas, polvos, centopeias, de ídolos hindus vivos e de arabescos intrincados vivificados por uma espécie de animação ofídica. Tudo o que ele via era indescritivelmente ameaçador e terrível, e sempre que uma das entidades orgânicas parecia, por seus movimentos, tê-lo notado, ele sentia um terror tão cruel e horripilante que geralmente acordava em um sobressalto. Sobre como os seres orgânicos se moviam, ele não sabia dizer mais do que como ele mesmo se movia. Com o tempo, observou outro mistério: a tendência de certas entidades a aparecerem repentinamente do espaço vazio ou de desaparecerem com a mesma rapidez. A confusão de gritos e rugidos que ecoava nas profundezas desafiava qualquer análise quanto ao tom, timbre ou ritmo, mas parecia estar sincronizada com as vagas alterações visuais de todos os objetos indefinidos, tanto os orgânicos quanto os inorgânicos. Gilman experimentava a sensação contínua e horripilante de que eles pudessem aumentar para algum grau insuportável de intensidade durante alguma de suas flutuações sombrias e implacáveis.

Mas não eram nesses redemoinhos de total alienação que ele via Brown Jenkin. Esse horror abominável era reservado para certos sonhos mais claros e vívidos que o assaltavam imediatamente antes de cair em sono profundo. Gilman sempre estava no escuro, lutando para ficar acordado, quando uma ligeira claridade parecia reluzir em torno do centenário quarto, revelando em uma neblina violácea a convergência dos planos angulosos que de maneira tão insidiosa tinham se apoderado de sua mente. O horrível monstro parecia sair do buraco de ratos no canto e se mover em direção a ele, deslizando pelas tábuas do piso deformado, com uma expectativa maligna em seu rosto humano minúsculo e barbudo; mas, felizmente, o sonho sempre terminava antes que a aparição chegasse perto demais para acariciá-lo com o focinho. Suas presas eram diabolicamente longas, afiadas e caninas. Gilman tentava tapar o buraco de ratos todos os dias, mas, noite após noite, os verdadeiros habitantes das partições roíam a obstrução, o que quer que fossem. Em certa ocasião, mandou o senhorio pregar uma lata no buraco, mas, na noite seguinte, os ratos abriram um novo buraco e, ao fazê-lo, empurraram ou arrastaram um curioso pedaço de osso.

Gilman não relatou sua febre ao médico, pois sabia que se entrasse na enfermaria da universidade não poderia passar nos exames, para cuja preparação precisava de todo o tempo. Mesmo assim, foi reprovado em cálculo diferencial e psicologia geral superior, embora tivesse a esperança de recuperar o atraso antes de terminar o curso.

Em março, um novo elemento tornou-se parte de seu sonho preliminar, e a fórmula de pesadelo de Brown Jenkin começou a ser acompanhada por uma sombra nebulosa que cada vez mais se assemelhava a uma velha encurvada. Esse novo elemento o transtornava mais do que ele podia explicar, mas finalmente se deu conta de que a sombra se parecia com uma velha que ele havia encontrado duas vezes no labirinto escuro de becos das docas abandonadas. Nas duas ocasiões, o olhar maldoso, sardônico e aparentemente sem motivação da senhora quase o fez estremecer, especialmente na primeira vez, quando um rato enorme que cruzava a entrada escura de um beco vizinho o fez pensar em Brown Jenkin de uma forma irracional. Agora, ele pensava, aqueles medos nervosos estavam sendo refletidos em seus sonhos desordenados. Não podia negar que a influência da velha casa era prejudicial, mas os restos de seu interesse mórbido o prendiam ali. Ele dizia a si mesmo que as fantasias noturnas se deviam apenas à febre e que, quando ela desaparecesse, estaria livre das visões monstruosas. No entanto, essas aparições tinham uma vivacidade absorvente e convincente, e sempre que acordava, ele mantinha uma vaga sensação de ter vivido muito mais do que se lembrava. Tinha a terrível certeza de ter falado com Brown Jenkin e com a bruxa em sonhos esquecidos, e que eles insistiam para que Gilman fosse com eles a algum lugar para encontrar um terceiro ser mais poderoso.

No fim de março, ele começou a melhorar em matemática, embora as outras matérias o incomodassem cada vez mais. Estava adquirindo uma habilidade intuitiva para resolver equações riemannianas e surpreendeu o professor Upham com sua compreensão sobre a quarta dimensão e outros problemas que seus colegas de classe ignoravam. Certa tarde, houve uma discussão sobre a possível existência de curvaturas caprichosas no espaço e de pontos teóricos de aproximação – ou até mesmo de contato – entre a nossa parte do cosmos e outras regiões tão remotas quanto as estrelas mais distantes ou os vazios transgalácticos, ou mesmo tão fabulosamente distantes quanto as unidades cósmicas hipoteticamente concebíveis além do contínuo espaço-tempo einsteiniano. O modo como Gilman tratava o assunto deixava todos admirados, embora algumas de suas ilustrações hipotéticas causassem um aumento das fofocas sempre abundantes sobre sua excentricidade nervosa e solitária. O que fez os estudantes balançarem a cabeça foi a teoria sobriamente anunciada de que um homem com conhecimentos matemáticos além do alcance da mente humana poderia passar da Terra para outro corpo celeste que se encontrava em um dos infinitos pontos da configuração cósmica.

Para isso, disse ele, apenas dois estágios seriam necessários: primeiro, deixar a esfera tridimensional que conhecemos e, segundo, retornar à esfera das três dimensões em outro ponto, talvez infinitamente distante. Que isso pudesse ser feito sem perder a vida era concebível em muitos casos. Qualquer ser procedente de um lugar no espaço tridimensional provavelmente poderia sobreviver na quarta dimensão, e a sobrevivência no segundo estágio dependeria de qual parte estranha do espaço tridimensional ele escolheu para a reentrada. Os habitantes de alguns planetas poderiam viver em outros, mesmo em planetas pertencentes a outras galáxias ou em fases dimensionais semelhantes de outros contínuos de espaço-tempo, embora, é claro, devesse haver um grande número deles mutuamente inabitáveis, embora fossem corpos ou zonas espaciais matematicamente justapostas.

Era possível também que os habitantes de uma determinada área dimensional pudessem sobreviver à entrada em muitos domínios desconhecidos e incompreensíveis, de dimensões mais numerosas ou indefinidamente multiplicadas, de dentro ou de fora do contínuo de espaço-tempo dado, e que o oposto também poderia acontecer. Isso era uma questão de conjectura, embora se pudesse ter quase certeza de que o tipo de mutação que envolveria a passagem de um determinado plano dimensional para o próximo plano superior não destruiria a integridade biológica como a entendemos. Gilman não sabia explicar muito bem suas razões para essa última suposição, mas sua imprecisão nesse ponto foi mais do que compensada por sua clareza ao lidar com outras questões complexas. Ao professor Upham, causou-lhe um prazer especial sua demonstração da relação que existia entre a matemática superior e certas fases da tradição mágica transmitida ao longo dos milênios, desde o tempo da Antiguidade indescritível, humana ou pré-humana, quando havia um conhecimento maior que o nosso sobre o cosmos e suas leis.

Por volta de 1º de abril, Gilman estava muito preocupado porque a febre não passava. Também ficara perturbado com o que seus colegas de alojamento disseram sobre seu sonambulismo. Diziam que ele se ausentava frequentemente da cama, e que o homem do quarto abaixo reclamava do ranger da madeira do chão em certas horas da noite. Esse colega também dizia ouvir o barulho de passos de pés calçados no meio da madrugada, mas Gilman tinha certeza de que nisso ele se enganara, porque seus sapatos e também o resto das roupas estavam, pela manhã, sempre no mesmo lugar em que os havia deixado. Naquela casa velha e deteriorada, era possível sentir as sensações mais absurdas. Não é que o próprio Gilman agora tinha certeza de ouvir, em plena luz do dia, certos ruídos, além do arranhar dos ratos nos buracos negros localizados além da parede oblíqua e do telhado inclinado? Seus ouvidos, de sensibilidade patológica, começaram a captar passos leves no sótão acima de seu quarto, fechado desde tempos imemoriais, e às vezes a ilusão de tais passos tinha um realismo angustiante.

No entanto, ele sabia que era mesmo sonâmbulo, porque em duas noites haviam encontrado seu quarto vazio, com todas as roupas no lugar. Isso lhe assegurara Frank Elwood, o colega estudante, cuja pobreza o havia obrigado a hospedar-se naquela casa miserável e de evidente impopularidade. Elwood estivera estudando até a madrugada e subira para que Gilman o ajudasse a resolver uma equação diferencial, mas descobrira que ele não estava em seu quarto. Tinha sido um atrevimento abrir a porta, que estava destrancada, depois de chamar e não receber nenhuma resposta, mas ele precisava muito de ajuda e pensou que Gilman não se importaria se ele o acordasse com delicadeza. Mas Gilman não estava lá nenhuma das duas vezes, e quando Elwood contou a ele, Gilman se perguntou por onde poderia ter estado vagando, descalço e com apenas suas roupas de dormir. Decidiu que investigaria o assunto se as notícias sobre seus passeios sonâmbulos continuassem, e pensou até em espalhar farinha no chão do corredor para descobrir para onde as pegadas o levariam. A porta era a única saída concebível, já que a janela estreita dava para o vazio.

À medida que o mês de abril avançava, os ouvidos de Gilman, aguçados pela febre, começaram a ouvir as orações lamuriosas de um homem supersticioso chamado Joe Mazurewicz, que consertava teares e cujo quarto ficava no piso térreo. Mazurewicz contava histórias longas e absurdas sobre o fantasma da velha Keziah e a coisa peluda com presas afiadas que cheirava pessoas, afirmando que, por vezes, perseguiam-no de tal maneira que só o crucifixo de prata – que para esse fim lhe dera o padre Iwanicki, da igreja de São

Estanislau – poderia dar-lhe algum alívio. Agora ele rezava porque o Sabá das bruxas se aproximava. Na véspera de primeiro de maio seria a noite de Santa Valburga, quando os espíritos infernais vagavam pela Terra e todos os escravos de Satanás se reuniam para se entregar a ritos e atos inomináveis. Era sempre uma data ruim em Arkham, embora as pessoas mais finas da avenida Miskatonic e das ruas High e Saltonstall fingissem não saber nada sobre o assunto. Coisas desagradáveis aconteceriam e provavelmente uma ou duas crianças desapareceriam. Joe sabia dessas coisas, porque sua avó, em seu país de origem, ouvira isso dos lábios de sua bisavó. O mais prudente era rezar o rosário nesse período. Fazia três meses que nem Keziah nem Brown se aproximavam do quarto de Joe, nem do de Paul Choynski, nem de qualquer outro lugar, e isso era um mau sinal. Deviam estar tramando alguma coisa.

No dia 16 do mesmo mês, Gilman foi ao consultório do médico e ficou surpreso ao ver que sua temperatura não estava tão alta quanto ele temia. O médico interrogou-o meticulosamente e aconselhou-o a consultar um especialista em nervos. Gilman ficou feliz por não ter consultado o médico da universidade, um homem mais inquisitivo. O velho Waldron, que em outra ocasião já havia restringido suas atividades, teria o forçado a descansar, o que era impossível agora que ele estava prestes a obter grandes resultados com suas equações. Estava indubitavelmente perto da fronteira entre o universo conhecido e a quarta dimensão, e quem poderia prever o quão longe ainda poderia chegar?

Mas, mesmo com esses pensamentos, ele questionava a origem de sua estranha confiança. Será que esse perigoso senso de iminência vinha das fórmulas das folhas que ele estudava dia após dia? Os passos abafados, furtivos e imaginários no sótão fechado eram inquietantes. E agora, além disso, ele tinha a sensação crescente de que alguém estava tentando persuadi-lo constantemente a fazer algo terrível que ele não podia fazer. E o sonambulismo? Para onde teria ido naquelas noites? E o que era aquela ligeira impressão de som que às vezes parecia vibrar através da confusão de rumores identificáveis, mesmo em plena luz do dia e em plena vigília? Seu ritmo não lembrava nada deste planeta, a não ser, talvez, pela cadência de um ou dois cânticos inomináveis do Sabá, e às vezes ele temia que correspondessem a determinados atributos dos gritos vagos ou dos rugidos ouvidos naquelas profundezas inimagináveis e estranhas.

Enquanto isso, os sonhos se tornavam atrozes. Na fase preliminar mais leve, a velha tinha uma nitidez diabólica e Gilman percebera que era ela quem o deixara assustado nos bairros pobres. As costas encurvadas, o nariz adunco e o queixo cheio de rugas eram inconfundíveis, e as roupas marrons e disformes eram iguais às de que ele se lembrava. O rosto da velha tinha uma expressão de horrível malevolência e exultação, e quando Gilman acordava, podia se lembrar de uma voz em cascata que o persuadia e ameaçava. Gilman tinha que conhecer o Homem Negro e ir com eles ao trono de Azathoth, no centro do Caos essencial. Era isso que a bruxa dizia. Ele teria que assinar o livro de Azathoth com seu próprio sangue e adotar um novo nome secreto, agora que suas investigações independentes haviam ido tão longe. O que o impedia de ir com ela, Brown Jenkin e o outro para o trono do Caos, onde as flautas tocavam de forma descuidada, era o fato de que ele tinha visto o nome "Azathoth" no *Necronomicon*, e sabia que isso correspondia a um mal primordial horrível demais para ser descrito.

A velha mulher sempre se materializava subitamente perto da quina onde a parede inclinada e o teto descendente se encontravam. Parecia se cristalizar em um ponto mais próximo do teto do que do chão, e a cada noite chegava um pouco mais perto e era mais visível antes de o sonho desaparecer. Brown Jenkin também se aproximava um pouco mais a cada dia, e suas presas amareladas brilhavam odiosamente na fosforescência violeta sobrenatural. Sua risada repulsiva e aguda ecoava mais e mais na cabeça de Gilman e, pela manhã, ele se lembrava de como a fera pronunciara as palavras "Azathoth" e "Nyarlathotep".

Em sonhos mais profundos, todas as outras coisas também eram mais distintas, e Gilman tinha a sensação de que os abismos crepusculares que o rodeavam eram aqueles da quarta dimensão. As entidades orgânicas, cujos movimentos pareciam irrelevantes e sem motivo, eram provavelmente projeções de formas de vida vindas de nosso próprio planeta, inclusive de seres humanos. O que os outros eram em sua – ou suas – própria esfera dimensional, era algo em que ele não se atrevia a pensar. Duas das coisas moventes menos irrelevantes – um enorme conjunto de bolhas iridescentes esferoidais, e um poliedro muito menor, de cores desconhecidas e ângulos da superfície que mudavam rapidamente – pareciam vê-lo e segui-lo de um lado para outro ou flutuar na frente dele enquanto ele mudava de posição entre os gigantescos prismas, labirintos, aglomerados de cubos, planos e formas semiconstruídas; e, o tempo todo, os gritos e rugidos se tornavam cada vez mais altos, como se estivessem se aproximando de algum clímax monstruoso de intensidade insuportável.

Na noite de 19 para 20 de abril, algo novo aconteceu. Gilman estava se movimentando quase que involuntariamente pelo abismo crepuscular com a bolha e o pequeno poliedro flutuando à sua frente quando notou os ângulos peculiarmente regulares formados pelas extremidades de um enorme aglomerado de prismas. No instante seguinte, ele estava fora do abismo, parado, trêmulo, em uma encosta rochosa banhada por uma luz verde intensa e difusa. Ele estava descalço e de pijama e, ao tentar andar, descobriu que mal conseguia levantar os pés. Um redemoinho de vapor encobria tudo, menos o declive imediato, e ele estremeceu ao pensar nos sons que poderiam emanar daquele vapor.

E foi então que viu as duas formas, que vinham rastejando em direção a ele com grande dificuldade: a velha e a coisa peluda. A bruxa se ajoelhou e conseguiu cruzar os braços de um modo singular, enquanto Brown Jenkin apontou em certa direção com uma garra horrivelmente antropoide que levantou com clara dificuldade. Levado por um impulso involuntário, Gilman foi arrastado na direção indicada pelo ângulo formado pelos braços da bruxa e a pequena garra monstruosa. E, antes de dar três passos, já estava novamente nos abismos crepusculares. Ao redor dele, formas geométricas fervilhavam, e ele caiu de forma vertiginosa e interminável. Finalmente, acordou em sua cama, no sótão insanamente inclinado da velha casa assombrada.

Pela manhã, estava totalmente indisposto e não compareceu a nenhuma das aulas. Alguma atração desconhecida dirigia sua visão para uma direção aparentemente irrelevante, e ele não conseguia evitar de fixar o olhar em um ponto vago no chão. À medida que o dia progredia, o foco de seus olhos que nada viam mudou e, por volta do meio-dia, ele conseguiu controlar aquela vontade de contemplar o vazio. Por volta das duas horas da tarde saiu para almoçar e, enquanto percorria as ruas estreitas da cidade, percebeu que estava sempre virando para o sudeste. Com grande esforço, parou em uma lanchonete na Church Street e, depois do almoço, o misterioso impulso aumentou ainda mais.

Ele teria que consultar um psiquiatra de qualquer forma, pois talvez isso tivesse alguma relação com seu sonambulismo, mas, por enquanto, tentaria ao menos quebrar o mórbido encantamento sozinho. Sem dúvida, ele ainda seria capaz de resistir ao misterioso impulso, então seguiu decididamente para o sentido norte na Garrison Street. Ao chegar à ponte sobre o Miskatonic, sentiu um suor frio correr por seu corpo e se agarrou à grade de ferro enquanto contemplava a ilhota de má reputação, onde as pedras antigas dispostas em linhas regulares se aninhavam soturnas sob o sol da tarde.

E então algo o assustou. Notou que havia um ser vivo claramente visível na ilhota desolada e, ao olhar novamente, percebeu que se tratava da mesma velha estranha de aspecto sinistro que tanto o impressionara em seus sonhos. A grama alta também se movia perto dela, como se alguma outra coisa viva estivesse rastejando no chão. Quando a velha começou a se virar para ele, Gilman desceu correndo da ponte e disparou em direção ao refúgio do labirinto de becos à beira-mar. Embora a ilhota estivesse a uma boa distância, ele sentia que um mal monstruoso e invencível jorrava do olhar sarcástico daquela figura velha e encurvada vestida de marrom.

Gilman continuava sendo puxado em direção ao sudeste, e só com muito esforço conseguiu se arrastar até a velha casa e subir as escadas frágeis. Ficou sentado durante várias horas, silencioso e alienado, enquanto seu olhar se voltava gradualmente para o Ocidente. Por volta das seis horas, seu ouvido aguçado escutou as orações lamuriosas de Joe Mazurewicz dois andares abaixo; desesperado, pegou seu chapéu e saiu para a rua iluminada pelos raios de sol dourados do pôr do sol, deixando o impulso levá-lo para onde quisesse. Uma hora depois, a escuridão o encontrou nos campos abertos que se estendiam para além do córrego do enforcado, enquanto as estrelas da primavera cintilavam sobre sua cabeça. O forte desejo de andar foi gradualmente se transformando em um desejo de se jogar misticamente no espaço e então, de repente, ele percebeu de onde vinha a forte atração.

Vinha do céu. Um ponto definido entre as estrelas exercia domínio sobre ele e o chamava. Aparentemente, era um ponto localizado em algum lugar entre a Hidra Fêmea e o Navio dos Argonautas, e ele percebeu que era isso que o vinha atraindo desde que acordara, pouco depois do amanhecer. De manhã, o ponto estivera sob ele, e agora estava quase ao sul, mas deslizando para o oeste. Qual era o significado dessa novidade? Estaria ele enlouquecendo? Quanto tempo aquilo duraria? Mais uma vez, reunindo toda sua energia, virou-se e se arrastou para a casa sinistra.

Mazurewicz estava esperando por ele na porta e parecia, ao mesmo tempo, ansioso e relutante em sussurrar alguma nova história supersticiosa. Era sobre a luz da bruxa. Joe participara das festividades da noite anterior – tinha sido o Dia do Patriota em Massachusetts – e voltara para casa depois da meia-noite. Ao olhar de fora da casa para o andar de cima, pareceu-lhe a princípio que a janela de Gilman estava escura, mas então ele percebeu o fraco brilho violeta que vinha do interior. Ele queria avisar ao cavalheiro sobre aquele brilho, já que em Arkham todos sabiam que se tratava da luz assombrada de Keziah que circundava Brown Jenkin e o fantasma da própria bruxa. Ele não havia mencionado isso antes, mas agora não tinha escolha, porque significava que Keziah e seu demônio familiar de presas longas estavam atrás do jovem. Por vezes, Paul Choynski, o senhorio Dombrowski e ele acreditaram ter visto aquela luz saindo pelas rachaduras do sótão fechado acima do quarto do rapaz, mas todos os três concordaram em não falar nada sobre o assunto. No entanto, seria melhor que Gilman encontrasse um quarto em outro lugar e arranjasse um crucifixo de um bom sacerdote, como o padre Iwanicki.

Enquanto o homem falava, Gilman sentia um pânico estranho agarrando sua garganta. Ele sabia que Joe devia estar um pouco bêbado quando voltara para casa na noite anterior, mas aquela menção a uma luz violeta na janela do sótão tinha um significado terrível. Esse era exatamente o tipo de luz que sempre envolvia a velha e a pequena coisa peluda naqueles sonhos mais leves e lancinantes que precediam seu colapso em profundezas desconhecidas, e a ideia de que uma pessoa acordada também podia ver aquela luz parecia loucura. No entanto, como o homem teria tido uma ideia tão estranha? Será que ele teria falado alguma coisa enquanto andava pela casa dormindo? Não, Joe disse que não, mas ele teria que se certificar. Talvez Frank Elwood pudesse dizer alguma coisa, mas ele detestava a ideia de perguntar.

Febre. Sonhos tempestuosos. Sonambulismo. Ilusões de ouvir sons. Atração por um ponto no céu. E, agora, a suspeita de dizer coisas loucas enquanto dormia! Ele deveria parar de estudar, ver um psiquiatra e tentar se recompor. Ao subir para o segundo andar, parou na porta de Elwood, mas viu que o outro jovem não estava. Relutante, seguiu até o sótão e sentou-se no escuro. Seu olhar continuava a sentir-se atraído para o sul, mas ele também procurava ouvir atentamente se algum som vinha do sótão fechado acima, imaginando que havia uma luz violeta penetrando por uma pequena rachadura no telhado baixo e inclinado.

Naquela noite, enquanto Gilman dormia, a luz violeta caiu sobre ele com uma intensidade incomum e a bruxa e a pequena coisa peluda, aproximando-se mais do que nunca, zombavam dele com gritos desumanos estridentes e risos diabólicos. Gilman estava grato por afundar naqueles abismos crepusculares ribombantes, embora a perseguição daquele aglomerado de bolhas iridescentes e daquele pequeno poliedro caleidoscópico fosse ameaçadora e irritante. Depois veio a mudança, quando vastas superfícies convergentes de uma substância de aspecto escorregadio apareceram acima e abaixo dele – uma mudança que terminou em uma súbita sensação de delírio e de chamas de uma luz desconhecida e alienígena, na qual o amarelo, o carmim e o índigo se misturavam de uma maneira louca e inseparável.

Ele estava deitado em um terraço alto, com balaústres fantásticos, com vista para uma floresta interminável de picos exóticos e incríveis, superfícies planas equilibradas, cúpulas, minaretes, discos horizontais posicionados em pináculos e inúmeras formas ainda mais selváticas – algumas de pedras, outras de metal – que brilhavam magnificamente em meio ao brilho complexo de um céu policromático. Olhando para cima, ele viu três prodigiosos discos de fogo, todos de cores distintas, cada um em uma altura diferente, acima de um horizonte curvo e infinitamente distante de montanhas baixas. Atrás dele havia fileiras de terraços mais altos que se alongavam infinitamente. A cidade lá embaixo se estendia até o limite de onde os olhos podiam alcançar, e Gilman desejou que nenhum som surgisse dela.

O piso do qual ele se ergueu com facilidade era de uma pedra polida e jaspeada que não conseguiu identificar, e as telhas haviam sido cortadas em formatos bizarros, que lhe pareciam menos assimétricas do que baseadas em alguma simetria sobrenatural cujas leis ele não compreendia. As grades da sacada ficavam na altura do peito, delicadas e forjadas fantasticamente, enquanto ao longo do trilho haviam sido postas, em intervalos curtos, pequenas figuras de desenho grotesco e acabamento requintado. As figuras, assim como a própria balaustrada, pareciam ter sido feitas de algum tipo de metal brilhante cuja cor não podia ser identificada no caos de brilhos variados, e sua natureza desafiava profundamente qualquer conjectura. Elas representavam objetos com nervuras em forma de barril, com finos braços horizontais que saíam como raios de um anel central e saliências ou bulbos verticais que vinham da cabeça e da base do barril. Cada uma dessas saliências era o centro de um sistema de cinco braços finos, longos e pontiagudos, dispostos em triângulos em torno do eixo como os braços de uma estrela-do-mar, quase horizontais, mas ligeiramente curvados para fora do barril central. A base do bulbo inferior fundia-se ao corrimão por um ponto de contato tão delicado que várias figuras haviam se quebrado e se soltado. As figuras mediam cerca de dez centímetros de altura e os braços pontiagudos tinham um diâmetro de, no máximo, cinco centímetros e meio.

Quando Gilman se levantou, os ladrilhos queimaram seus pés descalços. Ele estava completamente sozinho, e a primeira coisa que fez foi aproximar-se da balaustrada e contemplar, meio tonto, a cidade infinita e ciclópica que se estendia a mais de seiscentos metros abaixo do terraço. Enquanto ouvia, pareceu-lhe que uma confusão rítmica de sons musicais fracos que cobriam uma ampla escala diatônica subia das estreitas ruas abaixo, e ele desejou poder reconhecer os habitantes do lugar. Depois de algum tempo, sua visão ficou turva e ele teria caído de lá de cima se não tivesse se agarrado instintivamente à balaustrada reluzente. Sua mão direita tocou em uma das figuras salientes e o toque pareceu tê-lo paralisado ligeiramente. No entanto, a pressão fora demasiada para a delicadeza exótica daquele objeto de metal, e a figura pontiaguda se soltou em sua mão. Ainda meio tonto, continuou a apertá-la enquanto a outra mão se agarrava a um espaço vazio no corrimão liso.

Mas agora seus ouvidos hipersensíveis identificavam alguma coisa às suas costas, e Gilman olhou para trás no terraço horizontal. Viu cinco figuras se aproximando silenciosamente, embora seus movimentos não fossem furtivos; duas delas eram a velha e o animal peludo de presas afiadas. As outras três foram as que o deixaram inconsciente: eram entidades vivas de cerca de dois metros e meio de altura, do mesmo formato das figuras da balaustrada, que se arrastavam como aranhas sobre seus braços inferiores em forma de estrela-do-mar.

Gilman acordou em sua cama, encharcado de suor frio e com uma sensação de ardor no rosto, mãos e pés. Saltando para o chão, lavou-se e vestiu-se com uma velocidade frenética, como se fosse necessário sair de casa o mais rápido possível. Não sabia para onde queria ir, mas sabia que teria que faltar às aulas mais uma vez. A estranha atração àquele ponto no céu entre a Hidra Fêmea e o Navio dos Argonautas havia diminuído, mas uma força ainda mais poderosa a substituíra. Agora ele sentia que precisava seguir para o norte, infinitamente para o norte. Ele tinha medo de cruzar a ponte de onde se avistava a ilhota no meio do rio Miskatonic, então foi para a ponte da Avenida Peabody. Tropeçava com muita frequência, pois os olhos e ouvidos estavam acorrentados a um ponto muito alto no céu azul e vazio.

Depois de mais ou menos uma hora, Gilman ganhou mais controle sobre si mesmo e percebeu que estava longe da cidade. Tudo ao redor dele carregava o vazio sombrio das salinas, enquanto a estrada estreita à sua frente levava a Innsmouth – aquela cidade antiga e semideserta que os habitantes de Arkham curiosamente não tinham nenhum desejo de visitar. Embora a atração para o norte não tivesse diminuído, ele resistia a ela assim como resistira à outra atração, e por fim descobriu que poderia praticamente equilibrar uma contra a outra. Voltou para a cidade e, depois de tomar uma xícara de café em um bar, arrastou-se para a biblioteca pública. Lá, folheou distraidamente uma série de revistas de entretenimento. Alguns amigos observaram que ele estava queimado de sol, mas Gilman não contou nada sobre seu passeio. Às três da tarde, almoçou em um restaurante e notou que a atração diminuíra ou havia se dividido. Resolveu, então, entrar em um cinema barato para matar o tempo e assistiu ao mesmo filme várias vezes, sem prestar atenção.

Por volta das nove da noite, voltou para casa e entrou devagar. Joe Mazurewicz estava lá resmungando preces ininteligíveis e Gilman correu até o sótão sem parar para ver se Elwood estava em casa. Foi quando ele acendeu a luz fraca que a surpresa aconteceu. De imediato viu que havia algo na mesa que não deveria estar ali, e uma segunda olhada não deixou dúvidas. Deitada de um lado, já que não podia ficar em pé sozinha, estava a figura exótica e pontiaguda que no sonho monstruoso ele arrancara da fantástica balaustrada. Não faltava nenhum detalhe. O centro em forma de barril saliente, os finos braços em disposição de raio, as protuberâncias nas duas extremidades e os braços finos de estrela-do-mar ligeiramente curvados para fora que saíam das protuberâncias; tudo estava lá. À luz da lâmpada, a cor parecia ser uma espécie de cinza iridescente com veios verdes; e Gilman pôde ver, em meio ao seu horror e assombro, que uma das protuberâncias terminava em uma borda irregular e quebrada que correspondia ao ponto que anteriormente o unira à balaustrada.

Ele só não gritou porque estava quase em estado de estupor. Aquela fusão de sonho e realidade era algo impossível de conceber. Atordoado, pegou o objeto e cambaleou até o quarto de Dombrowski, o senhorio. As orações pesarosas do reparador de teares supersticioso ainda podiam ser ouvidas nos corredores úmidos, mas Gilman não se importava mais. Dombrowski estava lá e deu boas-vindas a ele gentilmente. Não, ele nunca tinha visto esse objeto antes e não sabia nada sobre ele. Mas a esposa lhe dissera que havia encontrado uma coisa estranha de latão em uma das camas, enquanto limpava os quartos ao meio-dia, e talvez fosse isso. Dombrowski chamou a esposa e ela adentrou o cômodo em um gingado. Sim, tratava-se desse mesmo objeto. Ela o havia encontrado na cama do rapaz, na parte mais próxima da parede. Parecia estranho, mas o rapaz tinha tantas coisas estranhas no quarto – livros, objetos antigos, pinturas. Ela claramente não sabia nada sobre aquele objeto.

Gilman subiu as escadas mais perplexo do que nunca, convencido de que ainda estava sonhando ou de que seu sonambulismo o levara a extremos inconcebíveis e a depredar lugares desconhecidos. Onde teria conseguido aquele estranho objeto? Ele não se lembrava de ter visto nada assim em nenhum museu de Arkham. No entanto, deve tê-lo visto em algum lugar; e a visão de que o agarrava, enquanto dormia, devia ter causado aquele cenário estranho e onírico do terraço com balaústre. No dia seguinte, ele iria fazer algumas investigações cautelosas – e talvez consultar o especialista em doenças que acometem os nervos.

Enquanto isso, tentaria monitorar seu sonambulismo. Enquanto subia as escadas e atravessava o saguão até o sótão, espalhou no chão um pouco de farinha que pegou emprestada do senhorio depois de explicar francamente o motivo daquilo. No caminho, parou no quarto de Elwood, mas viu que ele estava todo escuro. Entrou em seu quarto, colocou o objeto pontiagudo sobre a mesa e deitou-se na cama, mental e fisicamente exausto, sem parar para se despir. Pensou ter ouvido um ruído abafado de unhas e pequenos passos vindo do sótão fechado acima dele, mas estava cansado demais para dar atenção a isso. A misteriosa atração para o norte estava começando a se intensificar novamente, embora agora parecesse vir de um lugar muito mais baixo no céu.

Envoltos na luz violeta ofuscante de seus sonhos, a velha e a pequena coisa peluda com presas apareceram de novo, mais distintas do que em qualquer outra ocasião. Dessa vez o alcançaram de fato, e Gilman sentiu as garras secas da bruxa agarrá-lo. Sentiu que estava sendo puxado violentamente para fora da cama e jogado no vazio, e por um momento pôde ouvir os rugidos rítmicos e ver o crepúsculo amórfico dos abismos difusos que ferviam ao seu redor. Mas aquilo não durou muito: imediatamente depois, ele se viu em um espaço pequeno e sem janelas, com vigas rústicas e tábuas que se erguiam para se encontrar em um ângulo bem em cima de sua cabeça e com um curioso piso em declive sob seus pés. No piso havia caixas baixas cheias de livros, em vários estados de antiguidade e conservação, e no centro havia uma mesa e um banco, aparentemente fixos no lugar. Em cima das caixas, havia uma série de pequenos objetos de formatos e uso desconhecidos, e Gilman pensou ter visto uma cópia da figura pontiaguda que tanto o intrigara sob a luz violeta brilhante. À esquerda, o piso ruiu abruptamente, deixando uma lacuna triangular negra de onde, após alguns segundos de ruídos secos, surgiu o odioso serzinho peludo de presas amarelas e rosto humano barbado.

A velha bruxa de sorriso macabro ainda o agarrava, e, do outro lado da mesa, havia uma figura que ele nunca tinha visto – um homem alto e magro, de cor negra, mas sem nenhum traço de negritude: não tinha cabelo nem barba, e sua única vestimenta era uma túnica sem muito formato, feita um algum tecido preto pesado. Não era possível ver seus pés por causa da mesa e do banco, mas ele devia estar calçado, pois, quando se movia, era possível ouvir o som de sapatos. Ele não disse nada, nem havia nenhuma expressão em seu rosto. Apenas apontou para um livro grande que estava aberto na mesa enquanto a bruxa colocava na mão direita de Gilman uma enorme pena cinza. Um clima de medo aterrorizante dominava o ambiente e atingiu o clímax quando o ser peludo escalou pelas roupas de Gilman até seu ombro e desceu por seu braço esquerdo, afundando, por fim, as presas no pulso do homem, logo abaixo do punho de sua camisa. Quando o sangue começou a verter da ferida, Gilman desmaiou.

Acordou no dia 22 com o pulso esquerdo dolorido e viu que o punho de sua camisa estava manchado de sangue seco. Suas memórias eram muito confusas, mas a cena do homem negro no espaço desconhecido permanecia muito clara em sua memória. Ele supôs que os ratos o haviam mordido enquanto dormia, causando o resultado do terrível sonho. Gilman abriu a porta e viu que a farinha que ele havia espalhado no chão do corredor estava intacta, exceto pelos enormes passos do homem rústico que morava do outro lado do sótão. Então dessa vez ele não tinha andado em seus sonhos. Mas algo precisava ser feito em relação àqueles ratos. Falaria com o dono. Mais uma vez ele tentou cobrir o buraco na parte inferior da parede inclinada, pressionando uma vela que parecia ter o tamanho certo. Seus ouvidos zumbiam terrivelmente, como se houvesse um eco de algum ruído terrível percebido em sonhos.

Enquanto ele tomava banho e trocava de roupa, tentou se lembrar do que sonhara depois da parte em que vira o espaço iluminado por luz violeta, mas nada de concreto cristalizou-se em sua mente. A cena deve ter correspondido ao sótão fechado pelo qual começara a ficar tão violentamente obcecado, mas as últimas impressões eram fracas e confusas. Havia indícios dos vagos abismos envoltos em uma luz crepuscular e de outros ainda mais vastos e escuros que estavam além, sem qualquer ponto fixo. Ele fora levado pelo aglomerado de bolhas e pelo pequeno poliedro que sempre o perseguia; mas eles, como o próprio Gilman, haviam se tornado nuvens leitosas de névoa naquele vácuo final da escuridão total. Havia algo mais à frente deles, uma nuvem maior que de vez em quando se condensava em formas vagas, e Gilman pensou que não se movimentavam em linha reta, mas ao longo de curvas e espirais sobrenaturais de algum vórtice etéreo que obedecia a regras desconhecidas à física e à matemática de qualquer cosmo concebível. Casualmente, havia traços de imensas sombras saltitantes, de uma monstruosa pulsação semiacústica e do som monótono e agudo de flautas invisíveis; mas nada mais. Gilman chegou à conclusão de que aquilo era reflexo do que ele havia lido no *Necronomicon* sobre a entidade negligente, Azathoth, que reinava sobre todo o tempo e o espaço de um trono negro no centro do Caos.

Ao lavar o sangue de seu pulso, descobriu que a ferida era muito leve e a posição dos dois pequenos furos era curiosa. Percebeu que não havia sangue no lençol onde estivera deitado, um fato estranho, considerando a grande quantidade que manchava sua pele e o punho de sua camisa. Será que ele tinha andado pelo quarto adormecido e o rato o tinha mordido enquanto estava sentado em uma cadeira, ou parado em alguma posição menos lógica? Examinou todos os cantos em busca de manchas de sangue, mas não encontrou nenhuma. Decidiu então que era melhor espalhar farinha pelo quarto e pelo corredor, embora não precisasse de mais provas de seu sonambulismo. Ele sabia que era sonâmbulo e o que precisava agora era se curar. Pediria ajuda a Frank Elwood. Naquela manhã, os estranhos impulsos vindos do espaço pareciam menos fortes, mas tinham sido substituídos por uma sensação ainda mais inexplicável. Era um vago e insistente impulso de escapar de sua situação presente, mas ele não fazia ideia de qual direção queria tomar. Ao pegar a estranha figura pontiaguda na mesa, pensou sentir o impulso em direção ao norte aumentar, mas, mesmo assim, a sensação era disfarçada pelo seu mais novo e desorientador impulso.

Gilman levou a imagem pontiaguda ao quarto de Elwood, preparando-se mentalmente para as lamúrias do reparador de teares que vinham do térreo. Por sorte, Elwood estava lá e parecia não estar ocupado. Havia tempo para conversar um pouco antes de tomar café e ir para a faculdade, então Gilman começou a contar seus sonhos recentes e seus medos. Seu anfitrião foi muito compreensivo e concordou que algo deveria ser feito. Ficou em choque com o aspecto abatido de seu convidado e notou a queimadura de sol estranha e anormal que os outros haviam observado na semana anterior.

Não havia muito a ser dito. Ele não havia visto Gilman perambular adormecido e não fazia ideia do que aquela imagem curiosa poderia ser. Contudo, ouvira a conversa do franco-canadense que estava morando logo abaixo de Gilman com Mazurewicz uma noite. Eles conversavam sobre como temiam a Noite de Santa Valburga, que aconteceria em poucos dias, e trocavam comentários cheios de pena sobre o pobre jovem. Desrochers, o rapaz que morava embaixo do quarto de Gilman, falara sobre sons de passos com e sem sapatos durante a noite e da luz violeta que tinha visto na outra noite, quando, com medo, subiu para espiar pelo buraco da fechadura de Gilman. Contou a Mazurewicz que não se atreveu a olhar quando percebeu aquela luz saindo pelas rachaduras da porta. Também ouvira vozes baixas e, enquanto explicava, sua voz foi diminuindo até se tornar um sussurro inaudível.

Elwood não fazia ideia do que motivava aquelas criaturas supersticiosas a fofocarem, mas pensou que suas imaginações tivessem sido estimuladas, de um lado pelo sonambulismo de Gilman, e, por outro, porque o temido Dia de Maio se aproximava. Estava evidente que Gilman falava enquanto dormia e, ouvindo pelo buraco da fechadura, Desrochers imaginara a luz violeta. Essas pessoas simplórias estavam sempre dispostas a supor que tinham, de fato, visto algo estranho sobre o que ouviram falar em algum momento. Quanto a um plano de ação, seria melhor se Gilman se mudasse para o quarto de Elwood e evitasse dormir sozinho. Se ele começasse a falar ou se levantasse e Elwood estivesse acordado, o acordaria. Além disso, deveria procurar um psiquiatra com urgência. Enquanto isso, eles levariam a imagem pontiaguda a vários museus e a certos professores para tentar identificá-la, dizendo que a tinham encontrado em uma lata de lixo. Além disso, Dombrowski teria que colocar veneno para matar aqueles ratos.

Confortado pela companhia de Elwood, Gilman assistiu às aulas daquele dia. Os impulsos estranhos continuavam a assombrá-lo, mas conseguiu reprimi-los com considerável eficácia. Durante um intervalo, mostrou a figura estranha a vários professores, que pareceram profundamente interessados, embora nenhum deles pudesse lançar alguma luz sobre sua natureza ou origem. Naquela noite, dormiu em um divã que Elwood pediu que levassem ao segundo andar e, pela primeira vez em várias semanas, não teve pesadelos. Mas ele ainda tinha febre e as lamúrias do reparador de teares ainda o incomodavam.

Nos dias que se seguiram, Gilman quase não teve sintomas mórbidos. Elwood disse-lhe que não havia demonstrado nenhuma tendência a se levantar ou falar enquanto dormia. Enquanto isso, o senhorio estava colocando veneno contra ratos em todos os lugares. O único elemento perturbador era a conversa dos forasteiros supersticiosos, cuja imaginação tinha aflorado. Mazurewicz insistia sempre que ele deveria arranjar um crucifixo e, finalmente, forçou-o a aceitar um que fora abençoado pelo bom padre Iwanicki. Desrochers também tinha algo a dizer; insistiu que ouvira passos cautelosos no cômodo que agora estava vazio nas duas primeiras noites em que Gilman não esteve lá. Paul Choynski acreditava ter ouvido ruídos nos corredores e nas escadas durante a noite, e disse que alguém tinha tentado abrir a porta de seu quarto, enquanto a senhora Dombrowski jurava que tinha visto Brown Jenkin pela primeira vez desde a noite de Todos os Santos. Mas essas histórias ingênuas pouco significavam, e Gilman deixou o crucifixo de metal barato pendurado no puxador de uma gaveta da cômoda de seu amigo.

Durante três dias, Gilman e Elwood percorreram os museus locais tentando identificar a estranha imagem, mas sempre sem sucesso. No entanto, o interesse que ela causou foi enorme, já que a completa estranheza do objeto constituía um tremendo desafio para a curiosidade científica. Um dos pequenos braços radiantes foi quebrado e submetido a análise química. O professor Ellery encontrou platina, ferro e telúrio na liga, mas, misturados a eles, havia pelo menos três outros elementos de alto peso atômico que a química não conseguia classificar. Eles não apenas não correspondiam a nenhum elemento conhecido, mas nem sequer se encaixavam nos lugares reservados para elementos prováveis da tabela periódica. O mistério permanece hoje sem solução, embora a figura encontre-se exposta no museu da Universidade de Miskatonic.

Na manhã de 27 de abril, um novo buraco feito pelos ratos apareceu no quarto em que Gilman estava hospedado, mas Dombrowski logo o fechou. O veneno aparentemente não estava fazendo muito efeito, porque os arranhões e barulhos de algo correndo por trás das paredes não haviam diminuído em nada.

Elwood voltou tarde naquela noite e Gilman ficou acordado esperando por ele. Não queria dormir sozinho em um quarto, especialmente depois que imaginou ter visto ao pôr do sol a velha repulsiva cuja imagem começara a aparecer tão horrivelmente em seus sonhos. Ele se perguntava quem era ela e o que estaria perto dela, fazendo barulho em uma pilha de lixo na entrada de um terreno baldio. A bruxa pareceu notá-lo e lançar a ele um olhar perverso, embora isso possa ter sido apenas imaginação.

No dia seguinte, os dois jovens estavam muito cansados e sabiam que dormiriam profundamente quando a noite chegasse. À tarde, conversaram sobre os estudos matemáticos que absorviam Gilman de forma tão absoluta e talvez prejudicial e especularam sobre sua conexão com a magia antiga e o folclore, o que parecia obscuramente provável. Conversaram sobre a bruxa Keziah Mason, e Elwood concordou que Gilman tinha boas razões científicas para pensar que a velha poderia ter descoberto algum conhecimento estranho e importante. Os cultos secretos a que essas bruxas pertenciam frequentemente guardavam e transmitiam segredos surpreendentes de eras antigas e esquecidas; e não era de modo algum impossível que Keziah tivesse dominado a arte de atravessar as paredes das diferentes dimensões. A tradição enfatiza a inutilidade de barreiras materiais para impedir os movimentos de uma bruxa, e quem sabe o que está por trás das antigas lendas que falam sobre bruxas viajando em vassouras durante a noite?

Restava saber se um estudante moderno poderia adquirir poderes semelhantes apenas por meio de investigações matemáticas. Conseguir isso, de acordo com Gilman, poderia levar a situações perigosas e inconcebíveis, pois quem poderia prever as condições prevalecentes em uma dimensão adjacente, mas normalmente inacessível? Por outro lado, as possibilidades pitorescas eram enormes. O tempo poderia não existir em certas áreas do espaço, e entrar e permanecer nelas poderia preservar a vida e a idade indefinidamente, sem que a pessoa nunca sofresse com o metabolismo ou deterioração orgânica, exceto em quantidades insignificantes e como resultado de visitas ao próprio planeta ou outros semelhantes. Por exemplo, seria possível ir para uma dimensão atemporal e retornar dela em um período remoto da história da Terra tão jovem quanto antes.

Era impossível saber se alguém já tinha conseguido fazer isso. As lendas antigas eram vagas e ambíguas, e todas as tentativas descritas na história de atravessar espaços proibidos parecem ser complicadas por alianças estranhas e terríveis com seres e mensageiros extraterrestres. Havia a figura imemorial do delegado ou mensageiro de poderes ocultos e terríveis, o "Homem Negro" do culto das bruxas e o "Niarlathotep" do *Necronomicon*. Havia também o problema desconcertante dos mensageiros mais baixos ou intermediários, aqueles seres híbridos, quase animais, que as lendas apresentam como os demônios familiares das bruxas. Quando por fim se deitaram, cansados demais para continuar falando, Gilman e Elwood ouviram Joe Mazurewicz entrar em casa cambaleando, meio bêbado, e estremeceram ao ouvir o tom angustiado de suas orações.

Naquela noite, Gilman viu a luz violeta novamente. Sonhou ter escutado barulho de arranhões do outro lado da parede, e achou que alguém estava tentando abrir o trinco da porta desajeitadamente. E então ele viu a bruxa e a pequena criatura peluda atravessando o tapete em direção a ele. O rosto da feiticeira estava iluminado por uma exultação desumana e o pequeno monstro mórbido de presas amarelas dava risadinhas debochadas enquanto apontava para o corpo adormecido de Elwood, que dormia no sofá no outro extremo da sala. O medo o paralisou e impediu que ele gritasse. Como da outra vez, a bruxa horrível agarrou Gilman pelos ombros, puxou-o para fora da cama e o arrastou para o vazio. Mais uma vez, uma infinidade de abismos que rugiam passou por seus olhos como um raio, mas, um segundo depois, ele se viu em um beco escuro, enlameado e desconhecido, onde os odores fétidos das paredes em ruínas das casas antigas o cercavam por todos os lados.

Na frente dele estava o homem negro em túnicas que ele tinha visto no espaço pontiagudo de seu outro sonho, enquanto a bruxa, mais perto dele, gesticulava e fazia caretas. Brown Jenkin se esfregava com uma espécie de afeição brincalhona nos tornozelos do homem negro, em grande parte escondidos pela lama. À direita, havia uma porta escura aberta, para qual o homem negro apontava em silêncio. A bruxa começou, então, a arrastar Gilman pelas mangas do pijama para dentro daquela porta. Subiram por uma escada fedorenta que rangia com mau agouro e sobre a qual a bruxa parecia lançar uma luz violeta fraca. Finalmente, ela parou diante de uma porta em um patamar. A bruxa mexeu desajeitadamente no trinco e abriu a porta, fazendo um sinal para que Gilman esperasse, e desapareceu na escuridão.

Os ouvidos ultrassensíveis do jovem escutaram um grito estrangulado, e, depois de alguns momentos, a bruxa saiu do quarto carregando uma pequena figura inanimada que empurrou para Gilman, como que ordenando que ele a carregasse. A visão daquela figura e a expressão em seu rosto quebraram o feitiço. Ainda atordoado demais para gritar, Gilman correu para a rua com afobação através das escadas ruidosas até chegar ao chão enlameado, parando apenas ao encontrar e ser estrangulado pelo homem negro, que o esperava ali. Já quase perdendo a consciência, ele ouviu a risada aguda da aberração que parecia um rato com presas afiadas.

Na manhã do dia 29, Gilman acordou em um turbilhão de horror. Assim que abriu os olhos, percebeu que algo assombroso tinha acontecido, porque estava em seu antigo quarto de paredes e tetos inclinados, estirado na cama agora desfeita. Sua garganta doía inexplicavelmente e, ao sentar-se na cama, viu horrorizado que seus pés e pijamas estavam marrons e sujos de lama seca. Apesar da nebulosidade de suas memórias, ele sabia que o sonambulismo havia atacado novamente. Elwood devia estar em um sono profundo demais para ouvi-lo e detê-lo. Ele notou pegadas confusas e manchas de lama no chão que, curiosamente, não iam até a porta. Quanto mais Gilman as olhava, mais estranhas pareciam; porque, além das marcas de seus próprios pés, havia também outras, menores e quase redondas, como os pés de uma cadeira grande ou de uma mesa, mas todas pareciam estar divididas ao meio. Também havia pegadas de ratos saindo do buraco na parede e voltando para ele. O espanto total e o medo da insanidade atormentavam Gilman quando ele cambaleou até a porta e viu que não havia pegadas do lado de fora. Quanto mais se lembrava de seu sonho horrível, mais apavorado ficava; e ouvir as orações fúnebres de Mazurewicz dois andares abaixo o deixava ainda mais desesperado.

Foi até o quarto de Elwood, acordou-o e começou a contar o que havia acontecido, mas Elwood não conseguia imaginar o que de fato sucedera. Aonde Gilman poderia ter ido? Como havia retornado ao seu quarto sem deixar pegadas no corredor? Como as manchas de lama que pareciam pegadas de móveis misturaram-se às dele no sótão? Eram perguntas que não tinham resposta. Havia ainda aquelas marcas escuras e arroxeadas no pescoço dele, como se tivesse tentado se estrangular. Ele tocou-as com as mãos, mas viu que o tamanho delas nem se aproximava do das marcas. Enquanto conversavam, Desrochers apareceu para lhes dizer que ouvira uma terrível balbúrdia no andar de cima durante a madrugada. Não, ninguém subira as escadas depois da meia-noite, embora pouco antes da meia-noite ele tenha ouvido passos no sótão e depois descendo as escadas com cautela, e ele não gostava daquilo. Acrescentou que era uma época muito ruim do ano em Arkham e seria melhor se Gilman sempre carregasse o crucifixo que Joe Mazurewicz lhe dera. Nem mesmo durante o dia estaria seguro, porque, mesmo depois do amanhecer, ouvira ruídos estranhos na casa, especialmente o grito estridente de uma criança, como se estivesse sendo sufocada.

Gilman assistiu à aula de forma mecânica naquela manhã, mas não conseguiu se concentrar nos estudos. Sentia-se possuído por um medo indescritível e uma espécie de expectativa; parecia estar esperando que algo terrível acontecesse. Ao meio-dia, almoçou na universidade e pegou um jornal no assento ao lado enquanto esperava a sobremesa. Mas ele nunca chegou a comê-la, porque uma notícia na primeira página do jornal tirou suas forças e tudo que conseguiu fazer foi pagar a conta e voltar cambaleando para o quarto de Elwood.

Na noite anterior, havia acontecido um estranho sequestro na passagem de Ornes. Um menino de dois anos, filho de uma lavadeira chamada Anastasia Wolejko, desaparecera sem deixar vestígios. Ao que tudo indicava, a mãe temia tal acontecimento havia algum tempo, mas as razões que forneceu para explicar seus medos eram tão grotescas que ninguém a havia levado a sério. Dissera que via Brown Jenkin ocasionalmente nos arredores de sua casa desde o início de março, e que sentira, pelas expressões faciais dele, que o pequeno Ladislas tinha sido escolhido para o sacrifício no terrível Sabá da Noite de Santa Valburga. Ela pedira à vizinha, Mary Czanek, que dormisse em seu quarto e tentasse proteger a criança, mas Mary não tivera coragem. Ela não podia procurar a polícia, porque eles não acreditavam nessas coisas. Desde que ela se lembrava por gente, sabia que todos os anos eles pegavam uma criança dessa maneira. E seu amigo Pete Stowacki não queria ajudá-la porque queria se livrar da criança.

Mas o que mais impressionou Gilman foram as declarações de uma dupla de foliões que haviam passado pela entrada do beco pouco depois da meia-noite. Eles reconheceram que estavam bêbados, mas ambos alegaram ter visto três pessoas vestidas de uma maneira muito peculiar entrando furtivamente no beco. Uma delas, diziam, era um negro gigantesco envolto em uma túnica; a outra, uma mulher velha e maltrapilha e a terceira, um rapaz branco em suas roupas de dormir. A velha arrastava o jovem e um rato domesticado esfregava-se nos tornozelos do negro e chafurdava na lama escura.

Gilman permaneceu sentado a tarde toda em um estado de estupor, e Elwood, que já tinha lido os jornais e conjecturado ideias terríveis com o que viu, encontrou-o nesse estado quando chegou em casa. Dessa vez, não podiam duvidar de que algo terrivelmente sério havia acontecido e que eles corriam perigo. Entre os fantasmas dos pesadelos e as realidades do mundo objetivo estava se cristalizando uma relação monstruosa e inimaginável, e somente muita vigilância poderia evitar que coisas ainda mais horríveis acontecessem. Gilman teria que consultar um psiquiatra mais cedo ou mais tarde, mas não agora, que todos os jornais estavam falando sobre o sequestro.

O que realmente tinha acontecido era muito obscuro e, por alguns momentos, Gilman e Elwood criaram as teorias mais extravagantes. Será que Gilman teria tido mais sucesso do que imaginava em seus estudos sobre o espaço e suas dimensões enquanto estava inconsciente? Teria ele realmente deixado nosso ambiente terrestre para alcançar lugares nunca imaginados? Onde estivera, se é que esteve em algum lugar, naquelas noites de demoníaca alienação? Os abismos cheios de ruídos, a colina verde, o terraço em chamas... a atração exercida pelas estrelas, o grande vórtice negro, o homem negro, o beco lamacento e a escadaria... a velha bruxa e o horrível bicho peludo com presas... os conglomerados de bolhas e o pequeno poliedro... o estranho bronzeado em sua pele, a ferida no pulso, a figura inexplicável... os pés enlameados, as marcas no pescoço... as histórias contadas pelos forasteiros supersticiosos. O que significava tudo aquilo? Até que ponto as leis da sanidade poderiam ser aplicadas a um caso assim?

Nenhum deles conseguiu dormir naquela noite, mas no dia seguinte não foram à aula e dormiram por horas. Era 30 de abril, e com o crepúsculo viria a hora diabólica do Sabá que todos os forasteiros e velhos supersticiosos temiam. Mazurewicz voltou para casa às seis da tarde com a notícia de que as pessoas no moinho diziam que as festividades de Santa Valburga aconteceriam na ravina escura além de Meadow Hill, onde se encontrava a antiga pedra branca em um lugar estranhamente desprovido de qualquer vegetação. Alguns tinham até procurado a polícia, aconselhando-os a procurar a criança desaparecida de Wolejko, embora acreditassem que a polícia não tomaria nenhuma medida. Joe insistiu para que o jovem estudante continuasse carregando o crucifixo pendurado na corrente de níquel, e Gilman obedeceu para agradá-lo, deixando-o pendurado sob a camisa.

Mais tarde, à noite, os dois jovens sentaram-se meio adormecidos em suas cadeiras, embalados pelas preces do reparador de teares no andar de baixo. Gilman ouvia e balançava a cabeça, e seus ouvidos, sobrenaturalmente afiados, pareciam se esforçar para captar algum murmúrio sutil e aterrorizante abafado pelos sons da velha casa. Memórias perniciosas de coisas lidas no *Necronomicon* e no *Livro Negro* brotavam em sua mente, e ele começou a se balançar em ritmos execráveis, supostamente pertencentes às cerimônias mais sombrias do Sabá, cuja origem remontava a um tempo e um espaço alheios aos nossos.

Por fim, percebeu que estava tentando ouvir os cantos infernais dos celebrantes no vale distante e sombrio. Como ele sabia tanto sobre o assunto? Como sabia a hora em que Nahab e seu acólito apareceriam com o vaso transbordante que precederia o galo preto e o bode? Ele percebeu que Elwood havia adormecido e tentou gritar para que ele acordasse, mas algo fechava sua garganta. Ele não era dono de si mesmo. Teria ele assinado o livro do homem negro, afinal?

E, então, sua anormal audição captou as notas distantes nas asas do vento. Chegavam até ele através de quilômetros de colinas, prados e becos, mas ele as reconhecia apesar de tudo. As fogueiras já deviam estar acesas e, os dançarinos, prontos para começar a dança. Como evitar ir para lá? Em que rede havia caído? Matemática, lendas, a casa, a velha Keziah, Brown Jenkin... E agora ele notava que havia um novo buraco aberto pelos ratos na parede perto do sofá. Acima dos cantos distantes e das orações mais próximas de Mazurewicz, ele ouviu outro ruído: o som de arranhões contínuos e determinados nas paredes. Temia que a luz elétrica acabasse. E então viu a criatura com presas e rosto barbudo olhando pelo buraco de rato – um rosto que ele finalmente percebeu se parecer de forma chocante e debochada ao da velha Keziah, e então ouviu alguém tateando a porta.

Os abismos escuros e barulhentos explodiram diante dele, e Gilman se sentiu desamparado no conglomerado amorfo de bolhas iridescentes. Na sua frente, movia-se com agilidade o pequeno poliedro caleidoscópico, e ao redor do vazio turbulento, o vago padrão tonal que parecia pressagiar um clímax indescritível e insuportável crescia e se acelerava. Ele parecia saber o que ia acontecer: a explosão monstruosa do ritmo de Valburga, em cujo timbre cósmico estariam concentradas todas as efervescências do espaço-tempo primordial, que estão por trás das esferas concentradas de matéria e as às vezes irrompem em reverberações uniformes que penetram levemente em cada camada da entidade e dão um significado terrível, através dos mundos, a certos períodos terríveis.

Mas tudo isso desapareceu em segundos. Ele estava novamente naquele espaço apertado e pontiagudo iluminado por uma luz violeta e com o piso inclinado, as caixas de livros antigos, o banco e a mesa, os objetos estranhos, o vórtice triangular em um dos lados. Na mesa, encontrava-se uma pequena figura branca – um menino, sem roupas e desacordado – enquanto, do outro lado, a velha monstruosa o encarava com uma faca grotesca e afiada que chegava a brilhar em sua mão direita e uma bacia de metal de proporções estranhas coberta com sinais curiosos e alças delicadas na mão esquerda. Ela entoava algum tipo de canto ritual em alguma língua que Gilman não conseguia reconhecer, mas que parecia algo discretamente mencionado no *Necronomicon*.

Quando a cena se tornou mais clara diante seus olhos, Gilman viu a bruxa se inclinar para a frente e empurrar a bacia vazia por sobre a mesa. Incapaz de controlar suas emoções, Gilman se curvou para a frente e pegou a bacia com as duas mãos, e percebeu, ao fazê-lo, a relativa leveza do objeto. No mesmo momento, a figura repulsiva de Brown Jenkin escalou até a borda do buraco negro triangular à esquerda. A bruxa então acenou para que mantivesse a bacia em uma determinada posição, e levantou a enorme faca sobre a pequena vítima, erguendo sua mão o mais alto que conseguiu. Rindo, a criatura peluda de presas afiadas dava continuidade ao ritual desconhecido, enquanto a bruxa murmurava palavras repugnantes. Gilman sentiu uma profunda repulsa atravessar sua paralisia mental e corporal, o que fez a bacia de metal tremer em suas mãos. Um segundo depois, o movimento rápido e descendente da faca quebrou completamente o feitiço e Gilman deixou cair a bacia, fazendo ecoar um barulho parecido com o de sinos, enquanto as mãos avançavam para frente a fim de tentar impedir aquele ato monstruoso.

Em um instante, ele contornou o piso inclinado, alcançou a extremidade da mesa e arrancou a faca das garras da velha, jogando-a de forma barulhenta na beirada do buraco triangular. Porém, logo depois, o jogo se inverteu: as garras mortíferas agora prendiam-no pela garganta, enquanto o rosto enrugado se contorcia de fúria. Gilman sentiu a corrente do crucifixo barato raspar em seu pescoço e, naquela situação de perigo, perguntou-se como a visão do objeto afetaria a criatura maligna. A força dela era sobrenatural, mas, enquanto a bruxa continuava tentando sufocá-lo, ele tateou sua camisa e puxou o símbolo de metal, estourando a corrente e libertando-o.

Ao ver o objeto, a bruxa pareceu entrar em pânico e relaxou o punho o suficiente para que Gilman conseguisse escapar. Ele arrancou as garras, que pareciam ser feitas de aço, de seu pescoço e teria arrastado a bruxa até o buraco se as garras dela não tivessem recuperado as forças e se fechado novamente. Dessa vez, ele resolveu retribuir da mesma forma: suas próprias mãos agarraram o pescoço da criatura. Antes mesmo que a velha percebesse o que ele estava fazendo, Gilman enrolou a corrente do crucifixo no pescoço dela e, em pouco tempo, ele já havia apertado o suficiente para que a bruxa não conseguisse respirar. Enquanto a velha lutava para sobreviver, ele sentiu algo morder seu tornozelo e notou que Brown Jenkin tinha vindo ajudá-la. Com um chute selvagem, Gilman atirou a criatura mórbida para a entrada do buraco e o ouviu choramingar em algum andar muito abaixo.

Ele não sabia se conseguira matar a bruxa, mas a deixou esparramada no chão, no lugar em que ela caíra. E então, ao se virar, viu algo na mesa que quase apagou os últimos vestígios de sua razão. Brown Jenkin, dotado de músculos fortes e quatro mãos minúsculas de destreza demoníaca, estivera ocupado enquanto a bruxa tentava estrangulá-lo. Os esforços de Gilman tinham sido em vão. O que ele impediu que a faca fizesse ao peito da vítima, as presas amarelas do monstro peludo haviam feito no pulso dela, e a bacia, que tão tardiamente tinha ido ao chão, estava cheia, ao lado do pequeno corpo sem vida.

Em seu delírio sonhado, Gilman ouviu o ritmo inumano do canto diabólico do Sabá vindo de uma distância infinita, e sabia que o homem negro devia estar lá. As lembranças confusas misturavam-se com a matemática, e parecia-lhe que seu inconsciente conhecia os ângulos de que precisava para retornar ao mundo normal, sozinho e sem ajuda, pela primeira vez. Tinha certeza de que estava no sótão acima de seu quarto, hermeticamente fechado desde tempos imemoriais, mas duvidava de que conseguiria escapar pelo piso inclinado ou pela saída bloqueada. Além disso, fugir de um sótão do mundo dos sonhos não o levaria simplesmente a uma casa também dos sonhos, a uma projeção anômala do lugar que ele de fato procurava? Ele estava inteiramente confuso sobre a relação entre sonho e realidade em todas as suas experiências.

A passagem por esses abismos vagos seria terrível, porque o ritmo de Valburga estaria vibrando, e no final ele teria que ouvir a pulsação cósmica que tanto temia e que até agora tinha sido velada. Mesmo agora, ele podia sentir um tremor baixo e monstruoso, cujo ritmo ele reconhecia muito bem. Na noite de Sabá, o som sempre ficava mais alto e ressoava através dos mundos para convocar os iniciados para ritos indescritíveis. Metade das canções da noite de Sabá era moldada ao ritmo daquela pulsação que mal se ouvia, mas que nenhum ouvido humano poderia suportar em sua plenitude espacial. Gilman também se perguntou se poderia confiar em seus instintos para voltar ao lugar certo. Como ter a certeza de que não pousaria naquela encosta de luz esverdeada de um planeta distante, no terraço de ladrilhos acima da cidade dos monstros tentaculares, em algum lugar além da nossa galáxia, ou nos vórtices negros daquele vazio do Caos, onde reina Azathoth, o sultão demoníaco negligente?

Pouco antes de seu mergulho, a luz violeta se extinguiu, deixando Gilman na mais completa escuridão. A bruxa, a velha Keziah – Nahab –, devia ter morrido e, com ela, tudo que lhe dizia respeito. E, misturado aos cantos distantes da noite do Sabá e com os gemidos de Brown Jenkin no abismo abaixo, ele pensou ter ouvido outros lamentos mais frenéticos vindos de profundezas desconhecidas. Joe Mazurewicz – suas orações contra o Caos Rastejante, que agora se transformavam em um grito de triunfo –, mundos de realidade sardônica que invadiam um turbilhão de sonhos febris – Iä! Shub-Niggurath! O Bode com Mil Crias!

Encontraram Gilman caído no chão do sótão de ângulos estranhos muito antes do amanhecer, pois o terrível grito atraíra Desrochers, Choynski, Dombrowski e Mazurewicz e até acordara Elwood, que dormia pesadamente em sua cadeira. Gilman estava vivo, com os olhos arregalados e fixos, mas parecia inconsciente. Ele tinha as marcas deixadas pelas mãos assassinas em seu pescoço e uma mordida de rato no tornozelo. Suas roupas estavam terrivelmente amarrotadas e o crucifixo de Joe havia desaparecido. Elwood tremia, com medo até de especular sobre os novos caminhos que o sonambulismo de seu amigo poderia ter tomado. Mazurewicz parecia bastante chocado com um "sinal" que disse ter recebido em resposta às suas orações e fez o sinal da cruz quando um rato guinchou do outro lado da parede inclinada.

Depois de acomodar o sonhador em um divã no quarto de Elwood, mandaram chamar o Dr. Malkowski, um médico da vizinhança que não repetia histórias que pudessem causar embaraço. O médico aplicou duas injeções em Gilman, que o fizeram relaxar e o deixaram sonolento. O paciente recuperava a consciência em alguns momentos durante o dia e murmurava a Elwood algumas passagens de seus mais recentes pesadelos. Foi um processo muito doloroso e logo de início foi revelado um fato desconcertante.

Gilman, cujos ouvidos haviam demonstrado ultimamente uma sensibilidade anormal, estava completamente surdo. O Dr. Malkowski foi chamado de volta sem demora e disse que Gilman tinha ambos os tímpanos perfurados como resultado de um som maior do que qualquer ser humano poderia conceber ou suportar. O médico não soube dizer como Gilman tinha ouvido tal barulho nas últimas horas, sem que todo o vale do Miskatonic também despertasse.

Elwood escrevia sua parte na conversa para facilitar o diálogo. Nenhum deles conseguia explicar aquele acontecimento caótico e decidiram que o melhor que podiam fazer era evitar ao máximo pensar sobre o assunto. Concordaram, contudo, em deixar aquela maldita casa o mais rápido possível. Os jornais da noite falavam de uma busca policial por alguns foliões pouco antes do amanhecer, em um desfiladeiro além de Meadow Hill, mencionando que a pedra branca que havia lá era objeto de superstições havia muito tempo. Ninguém fora detido, mas, entre os fugitivos, pensavam ter visto um homem negro enorme. Em outra coluna, foi dito que nenhum vestígio de Ladislas Wolejko, a criança desaparecida, havia sido encontrado.

A pior parte do horror aconteceu naquela noite. Elwood nunca se esqueceria disso, e não poderia voltar às aulas pelo resto do ano devido ao colapso nervoso que sofreu como resultado. Pensou ter ouvido os ratos do outro lado da divisão a noite toda, mas prestou pouca atenção a eles. Foi então, muito depois que Gilman e ele foram dormir, que começaram os gritos atrozes. Elwood pulou da cama, acendeu as luzes e correu até o sofá onde seu amigo dormia. Gilman gritava, e eram gritos de uma natureza verdadeiramente desumana, como se estivesse sendo torturado. Ele se contorcia sob os lençóis e uma grande mancha vermelha começou a se espalhar nos cobertores.

Elwood mal ousava tocá-lo, mas, pouco a pouco, os gritos e a agitação diminuíram. Nesse momento, Dombrowski, Choynski, Desrochers, Mazurewicz e o hóspede do andar de cima já estavam reunidos na porta do quarto, e o senhorio tinha pedido à esposa que chamasse novamente o Dr. Malkowski. Todos gritaram quando uma criatura enorme em forma de rato saltou de debaixo das cobertas ensanguentadas e fugiu pelo chão até um novo buraco na parede. Quando o médico chegou e começou a remover as roupas de cama, Walter Gilman estava morto.

Seria uma atrocidade fazer mais do que supor o que matou Gilman. Ele tinha um túnel aberto em seu corpo, e alguma coisa tinha comido seu coração. Dombrowski, desesperado porque sua tentativa de envenenar os ratos não havia funcionado, rescindiu os contratos de aluguel e em menos de uma semana tinha se mudado com todos os antigos inquilinos para uma casa despedaçada, mas menos velha, localizada na Walnut Street. Por algum tempo, o mais difícil foi conseguir manter Mazurewicz em silêncio, pois o reparador de teares, taciturno, não conseguia manter-se sóbrio e não parava de se lamentar e falar sobre fantasmas e coisas terríveis.

Parece que naquela última noite assombrosa Joe passou para ver de perto as pegadas vermelhas deixadas pelo rato da cama de Gilman até o buraco na parede. Elas pareciam confusas no carpete, mas havia uma faixa de chão exposta da borda do tapete até o rodapé. Ali, Mazurewicz encontrou algo monstruoso, ou achou que havia encontrado, porque ninguém concordava com ele, apesar da indubitável estranheza das pegadas. As marcas do chão eram muito diferentes daquelas geralmente deixadas por ratos, mas nem mesmo Choynski e Desrochers quiseram admitir que pareciam pegadas de quatro mãos humanas minúsculas.

A casa nunca mais foi alugada. Assim que Dombrowski saiu, a desolação começou a se abater sobre ela. As pessoas evitavam a casa tanto por sua má reputação quanto pelo mau cheiro que agora apresentava. Talvez o veneno contra os ratos do inquilino anterior tivesse enfim funcionado, pois, logo após sua partida, a casa se tornou um pesadelo para a vizinhança. As autoridades de saúde descobriram que o odor vinha de espaços fechados que ficavam acima e ao lado do sótão da casa e concluíram que o número de ratos mortos lá devia ser enorme. Decidiram, entretanto, que não valia a pena abrir e desinfetar aqueles lugares fechados havia tanto tempo, pois o mau cheiro logo desapareceria e o bairro não tinha padrões muito exigentes. Na verdade, os boatos diziam que cheiros inexplicáveis saíam lá de cima, da Casa da Bruxa, imediatamente após o Dia de Maio e da Noite de Todos os Santos. Os vizinhos se resignaram por inércia, mas o mau cheiro foi outro elemento contra aquele lugar. Finalmente, a casa foi declarada inabitável pelas autoridades.

Os sonhos de Gilman e as circunstâncias que os cercaram nunca foram explicados. Elwood, cujas ideias sobre esse episódio às vezes beiravam a loucura, retornou à universidade no outono seguinte e se formou em junho. Ao voltar, ele notou que os comentários tinham diminuído na cidade e, de fato, apesar de alguns boatos ainda circularem sobre o riso fantasmagórico que ecoava na casa deserta, que permaneceriam enquanto o edifício se mantivesse de pé, não foi reportada nenhuma aparição da velha Keziah ou de Brown Jenkin desde a morte de Gilman. Foi uma sorte que Elwood não estivesse em Arkham no fim daquele ano, quando certos acontecimentos fizeram com que os boatos fossem retomados abruptamente sobre horrores antigos. Claro, ele ouviu sobre o assunto mais tarde e sofreu os incontáveis tormentos de conjecturas sombrias e angustiadas, mas teria sido pior se ele tivesse estado lá e visto as coisas que provavelmente teria visto.

Em março de 1931, uma grande tempestade arrancou o telhado e a grande chaminé da Casa da Bruxa, que estava abandonada até então, e muitos tijolos, telhas e tábuas podres caíram do sótão e se espalharam pelo andar abaixo. O andar inteiro do sótão ficou coberto de escombros, mas ninguém se incomodou em tocar naquilo até a hora da inevitável demolição da casa decrépita. A demolição começou em dezembro, quando trabalhadores relutantes e apreensivos começaram a limpar o quarto que havia sido de Gilman. E foi então que começaram os boatos.

Entre os escombros caídos do telhado inclinado, os trabalhadores descobriram várias coisas que os levaram a interromper o trabalho e chamar a polícia. A polícia, por sua vez, exigiu a presença do médico legista e de vários professores da universidade. Havia ali ossos, esmagados e estilhaçados – mas facilmente identificáveis como de seres humanos –, cuja contemporaneidade estranhamente entrava em conflito com a data remota em que o único esconderijo provável, o sótão baixo e de chão inclinado, havia supostamente sido selado, sem que nenhum humano pudesse ter acesso a ele. O médico legista considerou que alguns dos ossos pertenciam a uma criança pequena, enquanto outros, encontrados misturados com retalhos de um tecido marrom, escuro e podre, pertenciam a uma mulher baixa e idosa. Um exame cuidadoso dos escombros também permitiu encontrar lotes de ossos de ratos surpreendidos pelo colapso, e outros ossos de ratos mais antigos roídos por pequenas presas que foram e ainda são tema de discussão.

Entre outros objetos encontrados, estavam fragmentos de livros e papéis, além de uma poeira amarelada, resultado da total desintegração de volumes e documentos mais antigos. Todos os livros e documentos, sem exceção, pareciam tratar de magia negra em suas formas mais avançadas e assustadoras, e a data evidentemente recente de alguns deles permanece um mistério tão inexplicável quanto a presença de ossos humanos recentes. Um mistério ainda maior é a absoluta homogeneidade da complicada e arcaica caligrafia encontrada em uma grande diversidade de papéis cujo estado e filigrana sugerem diferenças temporais de pelo menos cento e cinquenta ou duzentos anos. Para alguns, porém, o maior mistério de todos é a variedade de objetos completamente inexplicáveis encontrados entre os detritos, em diversos estados de conservação e deterioração, cuja forma, materiais, tipo de construção e propósito escapam a qualquer conjectura. Um dos objetos, que despertou profundamente a curiosidade de vários professores da Universidade de Miskatonic, é uma monstruosidade deteriorada muito parecida com a imagem que Gilman doou ao museu da faculdade, exceto que é grande, esculpida em uma pedra azul rara em vez de metal, e com um pedestal de ângulos incomuns com hieróglifos indecifráveis.

Arqueólogos e antropólogos ainda tentam explicar os estranhos desenhos gravados em uma leve bacia de metal achatada, cuja parte interna apresentava manchas escuras bizarras. Forasteiros e idosas supersticiosas falam com o mesmo assombro sobre um crucifixo moderno de níquel com a corrente partida encontrado entre os escombros e identificado por Joe Mazurewicz como o mesmo que ele dera ao pobre Gilman muitos anos antes. Alguns acreditam que os ratos arrastaram o crucifixo para o sótão fechado, enquanto outros acham que ele devia estar o tempo todo no velho quarto de Gilman. E ainda há outros, incluindo o próprio Joe, que defendem teorias fantásticas demais para merecerem o crédito de uma pessoa sensata.

Quando a parede inclinada do quarto de Gilman foi demolida, descobriu-se que o espaço triangular entre o tabique e a parede norte da casa continha uma quantidade muito menor de detritos do que o próprio quarto, mesmo considerando seu tamanho, embora um depósito horrível de materiais mais antigos tenha sido encontrado lá e deixado os trabalhadores paralisados de medo. Em resumo, o espaço era um verdadeiro depósito de ossos de crianças, alguns bem recentes, enquanto outros remontando, em gradação infinita, a um período tão remoto que sua desintegração era quase total. Nessa camada profunda de ossos repousava uma faca enorme, de evidente antiguidade e com um desenho grotesco, exótico e muito ornamentado, sobre a qual os escombros se acumularam.

Em meio a esses detritos, espremido entre uma tábua caída e uma pilha de tijolos da chaminé, havia algo que provocaria ainda mais perplexidade, pavor e boatos supersticiosos em Arkham do que qualquer outra coisa já encontrada naquela casa amaldiçoada.

Tratava-se do esqueleto parcialmente esmagado de um enorme rato, cuja anormalidade anatômica ainda é objeto de discussão e fonte de curiosa reticência entre os membros do departamento de anatomia da Universidade de Miskatonic. Pouco foi dito sobre esse esqueleto, mas os trabalhadores que o encontraram murmuram, chocados, sobre os longos cabelos castanho-escuros associados a ele.

Boatos dizem que os ossos das pernas minúsculas sugerem a capacidade preênsil mais típica de um pequeno macaco do que de um rato, enquanto o pequeno crânio, com as presas amarelas afiadas, é da mais completa anomalia e, visto de determinados ângulos, assemelha-se a uma paródia em miniatura, monstruosamente degradada, de um crânio humano. Os trabalhadores, assustados, fizeram o sinal da cruz quando se depararam com essa blasfêmia, mas, em seguida, foram acender velas na igreja de St. Stanislaus, para dar graças pelas risadas zombeteiras e fantasmagóricas que esperavam nunca mais ouvir novamente.

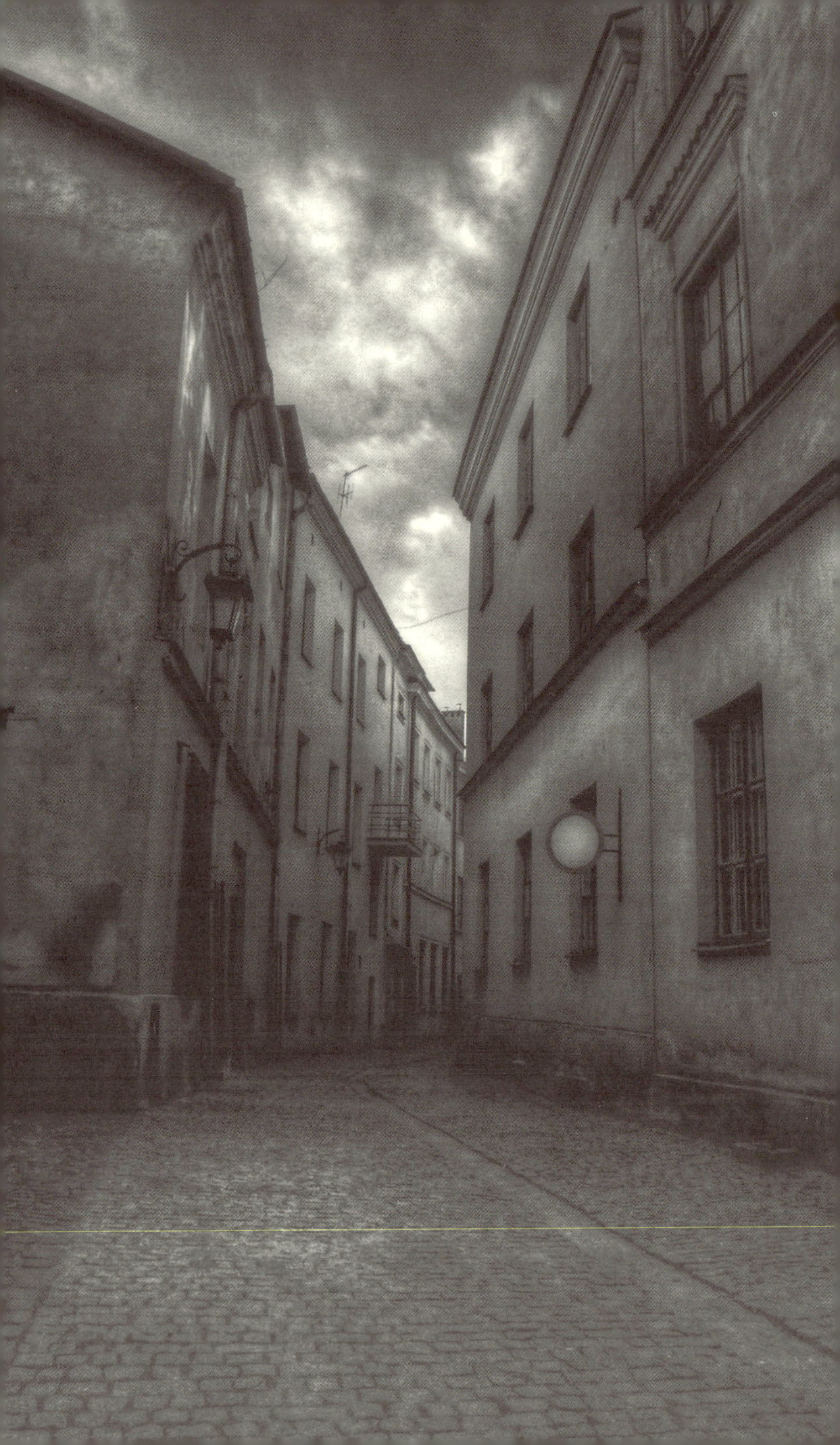

A rua

Há quem diga que coisas e lugares têm almas, e há quem diga que não. Eu mesmo não me atrevo a dizer, mas vou contar sobre a Rua.

Homens de vigor e honra compunham aquela Rua. Homens bons e valentes, do nosso sangue, que vieram das Ilhas Abençoadas do outro lado do oceano. A princípio, não passava de um caminho trilhado por carregadores de água da fonte do bosque que iam em direção ao conjunto de casas perto da praia. Depois, conforme mais homens uniram-se ao grupo crescente de casas, procurando um lugar para morar, mais cabanas foram construídas no lado norte, cabanas de grossas toras de carvalho com alvenaria que davam para a floresta, pois ali muito índios espreitavam com flechas incendiárias. Alguns anos depois, os homens construíram cabanas no lado sul da Rua.

Homens sérios de chapéus cônicos, portando, na maior parte do tempo, mosquetes ou caçadeiras, subiam e desciam a Rua. E havia também as esposas de touca e seus filhos tranquilos. À noite, esses homens, com suas mulheres e filhos, sentavam-se ao redor das lareiras enormes e liam e conversavam. As coisas sobre as quais eles liam e conversavam eram muito simples, mas eram coisas que lhes davam coragem e bondade, e os ajudavam, durante o dia, a subjugar a floresta e a arar os campos. E os filhos ouviriam e aprenderiam as leis e feitos dos antigos, e daquela amada Inglaterra que jamais viram ou não conseguiam se lembrar.

Veio a guerra e, depois disso, não havia mais índios perturbando a Rua. Os homens laboriosos prosperaram e ficaram o mais felizes que podiam. E os filhos cresceram com conforto, e mais famílias vieram da Terra Natal para morar na Rua. E os filhos dos filhos, e os filhos dos recém-chegados, cresceram. O vilarejo era agora uma cidade, e uma a uma as cabanas foram dando lugar a casas. Casas simples, bonitas, de tijolo e madeira, com degraus de pedra e parapeitos e claraboias de ferro sobre as portas. Não eram criações frágeis, pois tinham sido feitas para atender a muitas gerações. Dentro delas, havia lambris de lareira entalhados e escadas graciosas, sensatos e agradáveis móveis, louças e pratarias, todos trazidos da Terra Natal.

E assim a Rua absorvia os sonhos de um povo jovem e se alegrava à medida que seus habitantes iam ficando mais graciosos e felizes. Onde antes havia apenas vigor e honra, agora existiam também gosto e aprendizado. Livros, pinturas e música chegavam às casas, e os jovens iam para a universidade que surgiu no alto da colina ao norte. No lugar dos chapéus cônicos e das espadas pequenas, das rendas e das perucas brancas, havia calçadas sobre as quais ressoava o estrépito de muitos cavalos de raça e estrondeavam muitas carruagens douradas; além de calçadas de tijolos com bancos e postes para as montarias.

Havia muitas árvores naquela Rua: olmos, carvalhos e bordos esplendorosos. Assim, no verão, a paisagem era toda de um verde suave e de gorjeios de pássaros; e atrás das casas havia roseirais murados com caminhos de sebes e relógios de sol, onde, à noite, a lua e as estrelas brilhavam de forma mágica enquanto as flores perfumadas reluziam de orvalho.

E a Rua seguia sonhando, passando por guerras, calamidades e mudanças. Em uma ocasião, a maioria dos jovens partiu e alguns nunca retornaram. Aconteceu quando enrolaram a velha bandeira e hastearam um novo estandarte de listras e estrelas. Mas, embora os homens falassem de grandes mudanças, a Rua não as sentia, pois ainda era composta das mesmas pessoas, falando de velhas coisas familiares nas velhas histórias. E as árvores ainda abrigavam pássaros cantores e, à noite, a lua e as estrelas olhavam para baixo, para as flores orvalhadas nos roseirais murados.

Com o tempo, não havia mais espadas, chapéus cônicos e nem perucas na Rua. Como os habitantes com suas bengalas, cartolas altas e cabelos raspados pareciam estranhos! Novos sons vieram de longe; primeiro os sussurros e os gritos estranhos do rio que ficava a uma milha de distância, e depois, muitos anos depois, sussurros, gritos e rumores estranhos de outras direções. O ar já não era tão puro quanto antes, mas o espírito do lugar não havia mudado. O sangue e a alma de seus ancestrais haviam moldado a Rua. O espírito também não mudou quando eles escavaram a terra para assentar tubulações estranhas, nem quando ergueram altos postes sustentando uma fiação curiosa. Havia tanto saber antigo naquela Rua que o passado não poderia ser facilmente esquecido.

Então vieram dias malignos, quando muitos que haviam conhecido a Rua nos velhos tempos não a reconheciam mais, e muitos que a conheciam não a haviam conhecido antes, e iam embora, pois seus sotaques eram ásperos e estridentes, e os semblantes, desagradáveis. Os pensamentos também conflitavam com o espírito justo da Rua, de modo que ela ali ficou, em silêncio, enquanto as casas ruíam e as árvores morriam uma a uma, e os roseirais ficavam cobertos de mato e lixo. Entretanto, em certa ocasião, a Rua teve uma sensação de orgulho, pois novamente os jovens saíram marchando, alguns dos quais jamais voltaram. Eram os jovens vestidos de azul.

Com os passar dos anos, um destino pior sucedeu à Rua. As árvores haviam desaparecido, então, e os roseirais foram substituídos pelos fundos dos novos prédios feios e baratos das Ruas paralelas. Mas as casas permaneceram, apesar da devastação dos anos, das tempestades, dos cupins, pois elas haviam sido feitas para atender a muitas gerações. Novos rostos surgiram na Rua, rostos negros, sinistros, com olhos furtivos e feições bizarras, cujos donos diziam palavras não familiares e colocavam cartazes com caracteres conhecidos e desconhecidos na maioria das casas cheias de mofo. Carriolas apinhavam-se nas sarjetas. Um odor sórdido, indefinível, alastrou-se pelo lugar, e o antigo espírito adormeceu.

Uma grande excitação tomou conta da Rua em outra ocasião. Guerra e revolução eram fomentadas do outro lado dos mares; uma dinastia havia desmoronado e seus súditos degenerados estavam se reunindo, com intenções dúbias, na Terra Ocidental. Muitos deles alojaram-se nas casas em ruínas que um dia haviam conhecido as canções de pássaros e o aroma das rosas. E então, a própria Terra Ocidental despertou e uniu-se à Terra Natal em sua luta titânica pela civilização. Sobre as cidades mais uma vez tremulou a velha bandeira, acompanhada da nova bandeira, e de uma mais simples, mas de um tricolor glorioso. Contudo, não tremularam muitas bandeiras sobre a Rua, pois ali brotava apenas medo, ódio e ignorância. Novamente, os jovens partiram, mas não tantos quanto aqueles jovens de outros tempos. Faltava-lhes alguma coisa. E os filhos dos jovens daquela época, que, na verdade, marchavam vestidos de verde-oliva, e eram dotados do mesmo espírito de seus ancestrais, vieram de lugares distantes e não conheciam a Rua nem seu espírito antigo.

Houve uma grande vitória do outro lado dos mares, e a maioria dos jovens voltou triunfante. Àqueles que lhes faltava algo, não lhes faltava mais nada; no entanto, o medo, o ódio e a ignorância ainda reinavam na Rua, pois muitos haviam ficado e muitos estrangeiros vieram de longe para ocupar as velhas casas. E os jovens que retornaram não moravam mais nelas. A maioria dos estrangeiros era mestiça e sinistra, embora fosse possível descobrir entre eles algum rosto semelhante àqueles que formavam a Rua e moldavam seu espírito. Semelhante e ainda diferente, pois havia um brilho estranho e insano em seus olhos, como ganância, ambição, ressentimento ou zelo mal orientado. Agitação e traição espreitavam no exterior, entre alguns malvados que planejavam um golpe mortal na Terra Ocidental, a fim de impor seu poder sobre as ruínas, até mesmo como assassinos impuseram no país frio e desafortunado de onde a maioria veio. E o centro da conspiração estava na Rua, cujas casas dilapidadas fervilhavam com agitadores e ecoavam com os planos e discursos dos que ansiavam pela chegada do dia designado por sangue, chamas e crimes.

    A Lei falava muito sobre agrupamentos estranhos na Rua, mas não tinha muito para provar. Com grande diligência, homens, carregando insígnias escondidas, frequentavam lugares como a Padaria Petrovitch, a esquálida Escola de Economia Moderna Rifkin, o Clube do Círculo Social e o Café Liberdade. Havia pessoas sinistras reunidas em grande número, embora sempre falassem com cautela ou o fizessem em línguas estrangeiras. As casas antigas ainda estavam de pé, com seu conhecimento esquecido de séculos mais nobres passados; de robustos habitantes coloniais e de roseirais cobertos pelo luar. Às vezes um poeta ou um viajante solitário vinha visitá-las e tentava imaginá-las em seu esplendor perdido; mas não mais havia muitos viajantes e poetas.

    Então houve um boato de que os chefes de um extenso grupo de terroristas estavam escondidos nas casas, e que no dia designado dariam início a uma orgia de sangue para aniquilar a América e todas as tradições antigas e belas que a Rua adorava. Panfletos e jornais corriam pelas sarjetas imundas; panfletos e jornais impressos em vários idiomas e caracteres eram portadores de mensagens de crime e rebelião. Eles exortavam as pessoas a derrubarem as leis e virtudes que nossos ancestrais haviam exaltado, a fim de afogar a alma da velha América, a alma que foi nosso legado por mil e quinhentos anos de liberdade, justiça e moderação anglo-saxônicas. Foi dito que os homens mestiços que habitavam na Rua e se reuniam nas construções dilapidadas eram os cérebros de uma terrível revolução e que, ao seu comando, muitos milhões de feras enlouquecidas tirariam suas garras repugnantes das favelas imundas de milhares de cidades, queimando, matando e destruindo até que a terra dos nossos pais não mais existisse. Tudo isso foi dito e repetido, e muitos olhavam com medo para o dia quatro de julho, o dia que escritos estranhos mencionavam; no entanto, nada que entregasse o culpado foi descoberto. Ninguém sabia quem tinha que ser detido para que a maldita conspiração fosse interrompida. Muitas vezes foram grupos de policiais de jaqueta azul que revistaram as casas em ruínas; mas acabaram deixando de ir, pois também se cansaram de manter a lei e a ordem e deixaram a cidade à própria sorte. Então vieram os homens de verde-oliva com seus mosquetes, e até parecia que, em seu desafortunado sonho, a Rua se lembrava dos tempos de outrora em que os homens dos mosquetes em chapéus cônicos caminhavam desde a nascente da floresta até o conjunto de casas perto da praia. No entanto, não se podia tomar nenhuma medida para impedir o cataclismo iminente, já que os homens mestiços e sinistros eram muito astutos.

Assim, a Rua continuou com seu sono inquieto, até que, em certa noite, vastas hordas de homens cujos olhos arregalavam-se diante de um expectante triunfo de horror, reuniram-se na Padaria Petrovitch, na Escola de Economia Moderna, no Clube do Círculo Social, no Café Liberdade e em outros lugares. As mensagens deslizavam pela fiação escondida, e muito se falou sobre estranhas mensagens que ainda não tinham sido transmitidas; mas a grande parte só foi descoberta bem mais tarde, quando a Terra Ocidental não corria mais perigo. Os homens de verde-oliva não podiam dizer o que estava acontecendo, nem o que iriam fazer, pois os homens mestiços e sinistros eram hábeis em sutilezas e dissimulação.

Mas os homens de verde-oliva nunca se esquecerão daquela noite, e falarão sobre a Rua ao conversar com seus netos; pois muitos foram enviados, ao amanhecer, em uma missão diferente da que esperavam. Sabia-se que aquele ninho de anarquia era antigo e que as casas estavam em ruínas por causa da devastação do tempo, das tempestades e dos cupins; no entanto, o que aconteceu naquela noite de verão surpreendeu por sua estranha uniformidade. Na verdade, foi um evento único, embora muito simples. Pois, sem aviso prévio, nas primeiras horas da manhã, todos os estragos dos anos e das tempestades e dos cupins atingiram o seu ápice culminante e, após o colapso final, nada permaneceu na Rua, exceto por duas antigas chaminés e parte de uma parede de tijolos. Não sobrou viva alma, tudo e todos que lá viviam não sobreviveram às ruínas.

Um poeta e um viajante, que vieram com a enorme multidão para ver a cena, mais tarde contaram histórias estranhas. O poeta disse que, nas horas que antecederam a madrugada, ele contemplava as ruínas sórdidas que resplandeciam ao brilho da luz, e que, acima dos escombros, outra paisagem revelava-se nos contornos da lua, das belas casas, e dos olmos e carvalhos e bordos esplendorosos. E o viajante disse que, em vez do mau cheiro habitual, havia uma fragrância delicada como rosas florescendo. Mas não são os sonhos dos poetas e as histórias dos viajantes notoriamente falsas?

Há quem diga que coisas e lugares têm almas, e há quem diga que não. Eu mesmo não me atrevo a dizer, mas contei a vocês sobre a Rua.

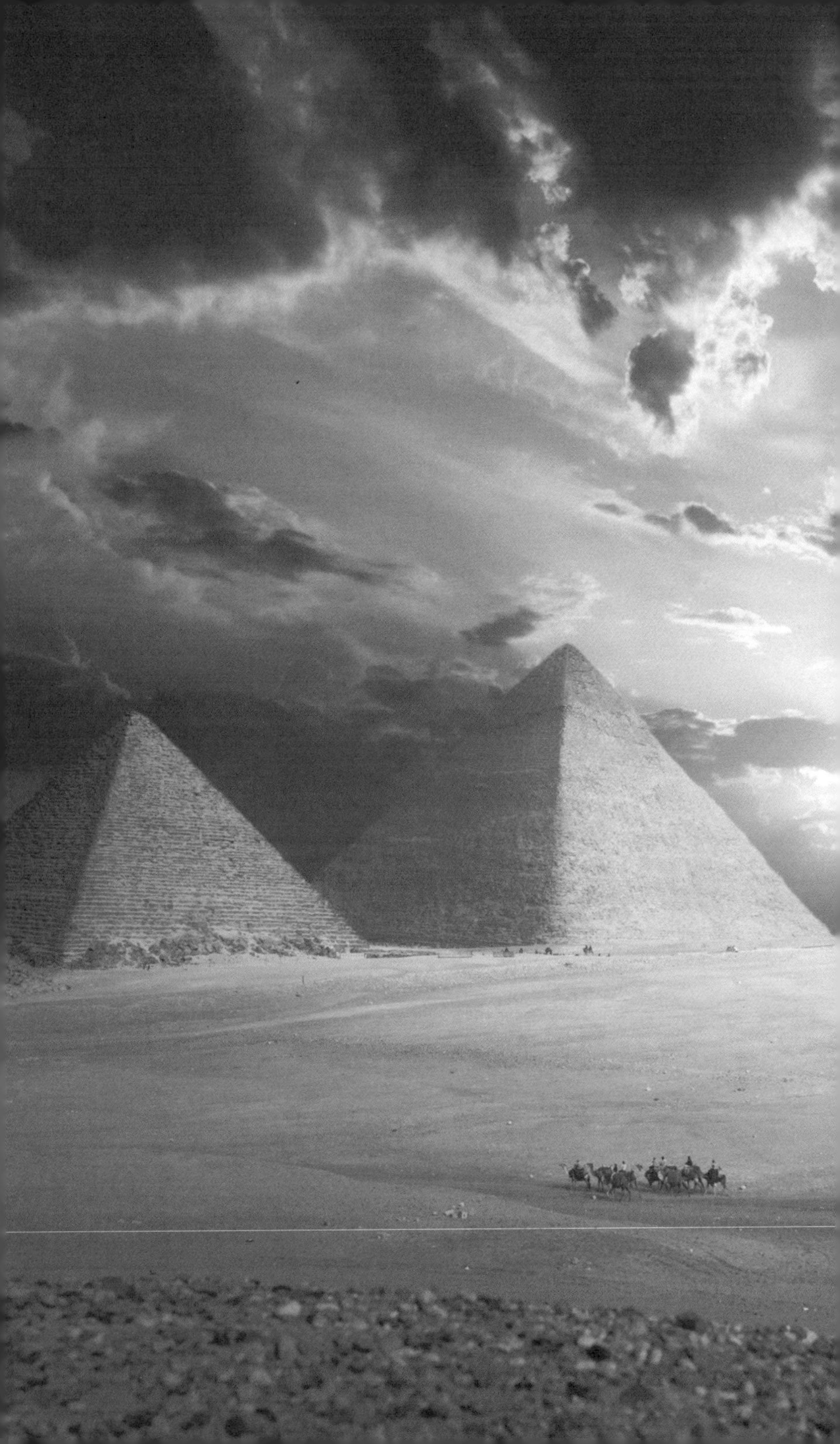

Sob as pirâmides

1.

O mistério atrai o mistério. Desde que meu nome se tornou amplamente conhecido pela realização de feitos inexplicáveis, venho me deparando com narrativas e acontecimentos estranhos que, dada a minha profissão, faz com que as pessoas sejam levadas a relacionar a meus interesses e atividades. Alguns foram triviais e irrelevantes; outros, profundamente dramáticos e fascinantes; outros deram origem a experiências horríveis e perigosas; outros, por fim, envolveram-me em extensas pesquisas científicas e históricas. Já falei e continuarei falando sem hesitação sobre muitos desses casos. Mas, de um deles, falo com grande relutância – e só o faço agora depois de uma grande insistência por parte dos editores desta revista, que ouviram boatos vagos sobre ele de vários membros da minha família.

O assunto sobre o qual permaneci em silêncio até agora está relacionado a uma visita não profissional que fiz ao Egito catorze anos atrás, e sobre a qual tenho evitado falar por vários motivos. Primeiro porque me oponho à exploração de determinados fatos reais e incontroversos e de algumas condições obviamente ignoradas pelos milhares de turistas que se aglomeram em torno das pirâmides, e que as autoridades no Cairo escondem com muito afinco, porque não é possível que as desconheçam por completo. Em segundo lugar, não gosto de relembrar um incidente no qual minha fantástica imaginação deve ter desempenhado um papel importante. O que eu vi – ou pensei ter visto – certamente não aconteceu, mas se deve ao efeito da minha então recente leitura sobre Egiptologia e especulações sobre o assunto que o meu ambiente naturalmente propôs. Tais estímulos imaginativos, aumentados pela emoção de um acontecimento real bastante terrível em si mesmo, sem dúvida provocaram o horror culminante daquela noite malograda e tão distante.

Em janeiro de 1910, eu havia cumprido um compromisso profissional na Inglaterra e assinado um contrato para visitar os cinemas da Austrália. Recebi uma grande margem de tempo para fazer a viagem e decidi aproveitar ao máximo a rota que mais me interessava. Então, acompanhado por minha esposa, atravessei o continente em direção ao sul e embarquei em Marselha, no navio *Malwa*, da companhia P. & O., em direção a Porto Saíde. De lá, propus-me a visitar os principais locais históricos do Baixo Egito antes de finalmente partir para a Austrália.

A viagem foi agradável e animada pelos muitos acontecimentos divertidos que acontecem a um ilusionista fora de seu trabalho. Eu pretendia permanecer incógnito para desfrutar de minha viagem com tranquilidade, mas acabei traindo a mim mesmo por culpa de um colega de profissão cujo desejo de surpreender os passageiros com truques simples incitou-me a duplicar e superar suas proezas de uma forma que destruiu completamente o meu anonimato. Cito esse detalhe por sua consequência final – uma consequência que eu deveria ter previsto antes de revelar minha identidade em um navio lotado de turistas que estavam prestes a se espalhar por todo o vale do Nilo. Fazer aquilo significou ter minha identidade revelada onde quer que eu fosse e privar minha esposa e eu mesmo do anonimato pacífico que buscávamos. Em uma viagem em busca de curiosidades, acabei muitas vezes tendo também que tolerar ser examinado como uma espécie de curiosidade!

Estávamos indo ao Egito em busca de impressões pitorescas e místicas, mas encontramos poucas coisas dessa natureza quando o navio atracou em Porto Saíde e descarregou seus passageiros nos barcos. Dunas baixas de areia, boias balançando oscilantes nas águas rasas e uma enfadonha aldeia europeia sem nada de interessante, exceto a grande estátua de De Lesseps,[1] o que despertou nossa

---

1. Ferdinand Marie Lesseps (1805-1894). Engenheiro francês que construiu o Canal de Suez. (N. do T.)

impaciência para ver algo mais digno de nosso interesse. Depois de algumas deliberações, decidimos ir ao Cairo e às pirâmides, e, por fim, à Alexandria para tomar o navio com destino à Austrália, visitando os monumentos greco-romanos que a antiga metrópole pudesse oferecer.

A viagem de trem foi bastante suportável e durou apenas quatro horas e meia. Vimos grande parte do Canal de Suez, cuja rota seguimos até Ismaília, e depois, passamos pelo canal de água doce restaurado durante o Império Médio, de onde pudemos saborear um pouco do antigo Egito. Então, finalmente, vimos Cairo, brilhando ao anoitecer, como uma constelação cintilante que se tornou resplandecente quando paramos na grandiosa estação.

Mas novamente a decepção nos aguardava, já que tudo o que víamos era de origem europeia, com exceção dos trajes e das multidões. Um metrô prosaico nos levou a uma praça cheia de carruagens, carros para serem alugados, bondes, e deslumbrantes luzes elétricas brilhando em edifícios altos. O mesmo teatro onde em vão me pediram para atuar e que mais tarde visitei como espectador havia sido renomeado pouco antes com o nome "American Cosmograph". Hospedamo-nos no Hotel Shepherd, ao qual chegamos em um táxi que passou por ruas largas e elegantes; e em meio ao seu serviço perfeito de restaurante, elevadores e os muitos luxos geralmente anglo-americanos, o misterioso Oriente e o passado imemorial pareciam muito distantes.

No dia seguinte, porém, mergulhamos deliciosamente em uma atmosfera própria das *Mil e Uma Noites*, em que a Bagdá de Harun-al-Rashid parecia reviver nas ruas sinuosas e no horizonte exótico do Cairo. Guiados por nosso *Baedeker*,[2] seguimos para o leste, passando pelos Jardins de Ezbekiyeh, visitamos o largo do Mouski em busca do bairro nativo e logo caímos nas mãos de um cicerone vociferante que – apesar dos incidentes que se seguiram – era certamente um mestre em seu ofício.

---

2. Guia de viagem publicado pelo alemão Karl Baedeker (1801-1859) e continuado por seus sucessores. (N. do T.)

Só depois fui perceber que deveria ter recorrido ao hotel para conseguir um guia licenciado. Esse homem – um sujeito barbeado com uma voz estranhamente profunda e aspecto relativamente limpo, que parecia um faraó e que se autodenominava "Abdul Reis, o Drogman" –, parecia ter grande autoridade sobre o resto dos colegas; no entanto, mais tarde, a polícia declarou não saber nada sobre ele, afirmando que "Reis" era apenas um título usado para designar qualquer pessoa com autoridade, enquanto "Drogman" obviamente não passava de uma rearticulação da palavra "dragoman", que designa o chefe de um grupo turístico.

Abdul nos levou através de maravilhas até então apenas vislumbradas em nossas leituras e sonhos. A velha cidade do Cairo é em si um livro de histórias e fantasia: labirintos de becos estreitos impregnados de segredos aromáticos, sacadas com arabescos e mirantes que quase tocam as ruas de paralelepípedos, redemoinhos de trânsito oriental repletos de gritos estranhos, chicotes estalando, carroças chacoalhando, moedas tilintando e burros zurrando; um caleidoscópio de roupas, véus, turbantes e *tarbushes* multicoloridos; transportadores de água e dervixes, cães e gatos, adivinhos e barbeiros; e, acima de tudo, a cantilena dos mendigos cegos agachados nos cantos e o cântico sonoro dos muezins nos minaretes, cujos contornos cortavam delicadamente um céu azul intenso e inalterável.

Os bazares, cobertos e silenciosos, eram igualmente sedutores. Especiarias, perfumes, varetas de incenso, tapetes e cobres: o velho Mahmoud Suleiman sentava-se de pernas cruzadas no meio de suas garrafas pegajosas, enquanto alguns jovens charlatões pulverizavam mostarda no capitel oco de uma coluna clássica antiga, romana de estilo coríntio, talvez procedente dos arredores de Heliópolis, onde Augusto estacionou suas três legiões egípcias. A antiguidade estava começando a se misturar com o exotismo. Em seguida, vimos as mesquitas e o museu, e tentamos fazer com que nossa diversão árabe não sucumbisse ao encanto mais obscuro e fúnebre do Egito faraônico que os inestimáveis tesouros dos museus nos ofereciam. Aquele deveria ser nosso clímax e, enquanto isso, concentrávamo-nos nas glórias medievais sarracenas dos califas, cujas magníficas tumbas-mesquitas formavam necrópoles deslumbrantes e fantasmagóricas à beira do deserto da Arábia.

Finalmente, Abdul nos conduziu pela Sharia Mohammed Ali até a antiga mesquita do Sultão Hassan e a Babel-Azab, ladeada por torres, além da qual a passagem de paredes íngremes sobe para a poderosa fortaleza que o próprio Saladino construíra com pedras de pirâmides esquecidas. O sol já se punha quando subimos a pedra, contornando a moderna mesquita de Mohammed Ali, e olhamos pelo vertiginoso parapeito, acima do místico Cairo – místico e todo dourado, com suas cúpulas esculpidas, seus minaretes etéreos e seus jardins iluminados.

Bem além da cidade, arrematada pela grande cúpula romana do novo museu e, ainda mais adiante, do outro lado do enigmático e amarelo Nilo, pai de dinastias milenares, espreitavam as areias ameaçadoras do deserto da Líbia, ondulantes, iridescentes, perversas e cheias de mistérios ainda mais antigos.

O sol vermelho se pôs, trazendo o frio implacável do crepúsculo egípcio; e enquanto se mostrava na ponta do mundo como um deus antigo de Heliópolis – Ra-Horakhty, Hórus no Horizonte – vimos delineadas no holocausto de vermelhidão as silhuetas negras das pirâmides de Gizé, as tumbas veneradas que datavam de milhares de anos, quando Tutancâmon ascendeu ao trono dourado na distante Tebas. Soubemos naquele momento que nada mais tínhamos a visitar no Cairo sarraceno e que deveríamos então saborear os mais profundos mistérios do Egito primordial: o negro Kem[3] de Ra e Amon, Ísis e Osíris.

Na manhã seguinte, fomos visitar as pirâmides. Cruzamos a ponte sobre o Nilo em um carro Victoria até a ilha de Ghizereh, cheia de árvores *lebbakh* imponentes e depois a pequena ponte inglesa que levava à margem ocidental. Continuamos ao longo da estrada ribeirinha, entre grandes fileiras de árvores *lebbakh*, e passamos pelos

---

3. *Km*, também grafado Kem ou Kmt, é a representação fonética de um hieróglifo cujas acepções podem ser tanto "preto" quanto "Egito".

jardins zoológicos até chegarmos ao subúrbio de Gizé, onde haviam construído uma nova ponte que levava ao Cairo. De lá, pegamos a estrada de terra – para a região interior de Sharia-el-Haram –, cruzamos uma área de canais de água cristalina e povoados nativos miseráveis, até que emergiram à nossa frente os objetos principais de nossa viagem, dividindo as brumas da aurora e criando réplicas invertidas nas poças que ficavam ao lado da estrada. De fato, como Napoleão dissera aos seus soldados, naquele lugar contemplávamos quarenta séculos de história.

A estrada subia bruscamente, até que finalmente chegamos ao local do traslado entre a estação de bonde e o Hotel Mena House. Abdul Reis, que, mostrando sua capacidade, nos havia comprado ingressos para as pirâmides, parecia ter certa influência sobre os numerosos beduínos uivantes e ofensivos que habitavam uma aldeia miserável e suja localizada perto dali, e que se dedicava incansavelmente a importunar os viajantes: os mantivera longe de nós e até nos conseguira um par de camelos, e um burro para ele, e atribuíra a condução de nossos animais a um grupo de homens e meninos carregadores que se mostrou mais caro do que útil. A área a atravessar era tão pequena que dificilmente teríamos precisado de camelos, mas não nos incomodou acrescentar às nossas experiências aquela maneira difícil de viajar pelo deserto.

As pirâmides se erguiam em um planalto rochoso e constituíam quase o mais setentrional dos cemitérios reais e aristocráticos construídos nas proximidades da cidade desaparecida de Mênfis – localizada na mesma margem do Nilo, um pouco ao sul de Gizé –, e que floresceu entre os anos 3400 e 2000 a. C.

A maior das pirâmides, que é a mais próxima da estrada moderna, foi construída pelo rei Quéops ou Khufu por volta de 2800 a. C. e tem mais de 130 metros de altura. A sudoeste, alinhadas, estão sucessivamente a Segunda Pirâmide, construída uma geração depois pelo rei Quéfren – que, embora ligeiramente menor, dá a impressão de ser maior por estar em um terreno mais alto. Segue-se a ela a Terceira Pirâmide, que é notoriamente menor e foi construída pelo rei Miquerinus por volta de 2700 a. C. Perto da borda do planalto e a leste da Segunda Pirâmide, com um rosto provavelmente modificado para formar um retrato colossal de Quéfren, seu restaurador real, encontra-se a monstruosa Esfinge: silenciosa, sarcástica, depositária de um conhecimento prévio à humanidade e à memória.

Em vários lugares há pirâmides ou traços de ruínas de pirâmides de menor importância, e todo o planalto é cheio de tumbas de dignitários de nível ligeiramente inferior ao do rei. Essas últimas foram originalmente chamadas de *mastabas*[4] – construções de pedra na forma de um banco em torno das profundezas funerárias –, como foram descobertas em outros cemitérios de Mênfis, e dos quais é exemplo o túmulo de Perneb, que está no Metropolitan Museum de Nova York. Em Gizé, no entanto, todas essas coisas desapareceram por causa do tempo e dos constantes saques, e apenas covas escavadas em rocha, protegidas pela areia ou esvaziadas pelos arqueólogos, continuam a testemunhar sua existência anterior. Ligada a cada sepultura havia uma capela na qual padres e parentes ofereciam alimentos e orações ao *ka*[5] – o princípio vital – do falecido. Os túmulos pequenos tinham suas capelas dentro das *mastabas* ou em superestruturas de pedra, mas as capelas mortuárias das pirâmides, onde ficavam os corpos dos faraós, eram templos separados, sempre a leste da pirâmide correspondente, e ligada por uma passagem a uma enorme capela ou propileu localizado na borda do planalto rochoso.

A capela que leva à Segunda Pirâmide, quase totalmente enterrada pelos movimentos da areia soprada pelo vento, abre-se no subsolo ao sudeste da Esfinge. A tradição que persiste a considera o "Templo da Esfinge", talvez com razão, se a Esfinge realmente representar Quéfren, o construtor da Segunda Pirâmide. Há histórias perturbadoras sobre a Esfinge e sobre como ela era antes de Quéfren, mas

---

4. *Mastaba* refere-se a um tipo de túmulo do Antigo Egito, em formato de base piramidal. Foi o gênero de edifício que precedeu e preparou a construção das verdadeiras pirâmides. Eram construídos em pedra calcária ou em tijolos de argila.

5. *Ka* refere-se ao elemento imaterial, invisível, volátil e, de certa forma, metafórico, que assegurava a sobrevivência dos homens neste mundo e lhes conferia a vida eterna no outro. É a essência ou substância vital que distingue o ser vivo do morto. Seria uma das partes do que a concepção cristã vê como alma.

qualquer que fosse seu rosto anterior, o monarca o havia substituído pelo seu próprio para que os homens pudessem contemplar o colosso sem medo.

Foi nesse grande templo de acesso que a estátua de Quéfren, esculpida em diorito em tamanho real e que hoje está no museu de Cairo, foi encontrada. Uma estátua que me fez estremecer quando a vi. Não sei se já escavaram todo o edifício, mas, em 1910, a maior parte dele estava embaixo da terra, e a entrada permanecia solidamente fechada durante a noite. Os alemães estavam encarregados das obras, mas a guerra ou outros motivos os interromperam. Eu daria qualquer coisa – em vista da minha experiência e de certos boatos que corriam entre os beduínos, negados ou ignorados no Cairo – para descobrir o que acontecera em um certo poço de uma galeria transversal, onde as estátuas do faraó haviam sido encontradas curiosamente justapostas com estátuas de babuínos.

A estrada que percorremos com nossos camelos naquela manhã fez uma curva acentuada, deixando à esquerda a construção de madeira do quartel da polícia, os correios, armazéns e lojas; e, ao fazermos uma curva para o sul e para o leste no planalto rochoso, ficamos frente a frente com o deserto, aos pés da Grande Pirâmide. Depois da construção ciclópica, viramos para o leste e vimos um vale de pirâmides menores, além do qual o eterno Nilo cintilava e, a oeste, tremeluzia o deserto eterno. Muito perto emergiam as três pirâmides: a maior não tinha qualquer revestimento, deixando as pedras à vista, mas as menores conservavam em algumas partes uma cobertura perfeita que lhes conferia a aparência lisa e bem-acabada de outras épocas.

Foi então que descemos em direção à Esfinge e nos sentamos em silêncio sob o feitiço daqueles olhos terríveis e cegos. No imenso peito de pedra, distinguimos vagamente o símbolo de Ra-Horakhty, pelo qual a Esfinge havia sido erroneamente atribuída a uma dinastia posterior; e embora a areia cobrisse a tábua entre suas grandes garras, lembramos o que Tutemés IV[6] gravara nela e o sonho que

---

6. Tutemés IV foi o oitavo rei da XVIII dinastia egípcia. Enquanto ainda era príncipe, sonhou

tivera quando era príncipe. O sorriso da Esfinge nos incomodava vagamente e nos fez pensar nas lendas sobre passagens subterrâneas que existiriam debaixo da criatura monstruosa – passagens que desceriam a profundidades que ninguém nunca se atrevera a intuir e que se relacionavam a mistérios ainda mais antigos que as dinastias egípcias descobertas e em sinistra conexão com a persistência de deuses anormais com cabeça de animais do antigo panteão nilótico. E foi aí também que me fiz uma pergunta tola cujo significado medonho não foi revelado até muitas horas depois.

Outros turistas começaram a chegar, e nos dirigimos para o Templo da Esfinge, devorado pela areia, localizado a cerca de cinquenta metros a sudeste do que me referi anteriormente como sendo a grande porta de entrada que conduz à capela mortuária da Segunda Pirâmide do planalto. Essa capela ainda estava praticamente enterrada na areia e, embora tivéssemos deixado nossos animais e descido por um acesso moderno até o corredor de alabastro e a um salão cercado de pilares, percebi que Abdul e o atendente alemão não haviam nos mostrado tudo que havia para ver.

Depois disso, fizemos a excursão habitual ao redor do planalto das pirâmides, examinamos a Segunda Pirâmide e as curiosas ruínas de sua capela mortuária, localizada a leste; a Terceira Pirâmide, com os seus pequenos satélites ao sul e a capela em ruínas a leste; os túmulos de rochas e os favos das Quarta e Quinta Dinastias, e finalmente o famoso túmulo de Campbell, cujo poço afunda mais de 15 metros verticalmente até um sinistro sarcófago. Um de nossos cameleiros teve que tirar a areia que o cobria depois de fazer uma descida vertiginosa com uma corda.

Então ouvimos gritos vindos da Grande Pirâmide, onde beduínos assediavam um grupo de turistas e ofereciam trajetos mais rápidos de subida e descida. Dizem que o recorde de tempo de subida e descida era de sete minutos, embora muitos xeiques e filhos

---

que durante uma expedição de caça no deserto parou para descansar à sombra da Esfinge. A Esfinge, então, dirigiu-lhe a palavra e disse que ele se tornaria rei se removesse a areia na qual ela estava quase que totalmente enterrada. Depois de atender ao pedido da Esfinge, ele se tornou faraó e ergueu uma tábua que conta o sonho que teve.

de xeiques vigorosos nos assegurassem que conseguiriam reduzi-lo a cinco, se o incentivassem com um bom *baksheesh*.[7] Nós não lhe demos o suborno, e deixamos que Abdul nos levasse ao topo, onde tivemos uma vista de magnificência sem precedentes, que cobria não somente a remota e resplandecente cidade do Cairo, com sua cidadela coroada com um pano de fundo de montanhas violetas e douradas, mas também todas as pirâmides da área de Mênfis, desde Abu Roash, ao norte, até Dashur, ao sul. A pirâmide de degraus de Sakkara, que marca a transição do baixo *mastaba* para a verdadeira pirâmide, destacava-se de forma clara e sedutora na distância arenosa. Foi perto desse monumento de transição que o famoso túmulo de Perneb foi encontrado – mais de seiscentos quilômetros ao norte do vale rochoso de Tebas, onde Tutancâmon descansa. Mais uma vez, uma sensação de terror genuíno obrigou-me a permanecer em silêncio. A contemplação de tal antiguidade, assim como dos segredos que todos esses monumentos veneráveis pareciam conter e abrigar, encheram-me de um sentimento de reverência e de uma sensação de imensidão que nada havia me feito sentir antes.

Cansados pela subida e também por conta dos beduínos irritantes, cujo comportamento parecia desafiar todas as regras do bom gosto, dispensamos a árdua tarefa de entrar nas estreitas passagens interiores das pirâmides, embora tivéssemos visto vários dos turistas mais ousados preparando-se para rastejar no interior sufocante do monumento mais imponente de Quéops. Depois de nos despedirmos e pagarmos nossa escolta local e de voltarmos ao Cairo com Abdul Reis sob o sol da tarde, quase lamentamos nossa omissão. Coisas fascinantes eram ditas sobre as passagens inferiores da pirâmide que não estavam nos guias; passagens cujas entradas haviam sido bloqueadas às pressas com blocos de pedra e escondidas por certos arqueólogos pouco comunicativos, que as descobriram e começaram a explorá-las e que agora não diziam uma só palavra sobre o assunto.

Naturalmente, tais boatos eram infundados na maior parte, mas era curioso notar como os visitantes eram sempre proibidos de entrar

---

7. *Baksheesh*: gorjeta ou propina, em alguns países orientais. (N. do T.)

nas pirâmides à noite, bem como de visitar as passagens inferiores e a cripta da Grande Pirâmide. Talvez nesse último caso, o que se temia era o efeito psicológico do visitante sentir-se esmagado debaixo de um mundo gigantesco de alvenaria sólida, ligado à vida conhecida por essa única passagem, onde ele só poderia engatinhar e onde também qualquer acidente ou maldição podia obstruir o caminho. Tudo isso parecia tão misterioso e sedutor que decidimos fazer outra visita ao Planalto das Pirâmides na primeira oportunidade. Essa oportunidade surgiu muito antes do que eu esperava.

Naquela noite, os membros do nosso grupo estavam um pouco cansados depois do programa exaustivo do dia, então fui sozinho com Abdul Reis fazer um tour pelo pitoresco bairro árabe. Embora eu já o tivesse visitado durante o dia, queria visitar os becos e os bazares durante o crepúsculo, quando as sombras ricas e os brilhos dourados aumentavam seu charme e sua fantástica ilusão. A multidão de nativos estava se dispersando, mas ainda era muito barulhenta e numerosa quando nos deparamos com um grupo de foliões beduínos no mercado de Suken-Nahhasin, ou bazar de artesãos de cobre. Aquele que parecia ser o chefe, um impetuoso jovem robusto e insolente com traços bem definidos e um *tarbush*[8] armado, notou-nos e evidentemente reconheceu, não com muita simpatia, meu competente, mas arrogante e desdenhoso guia.

Talvez, pensei, ele não gostasse da reprodução que Abdul fazia do meio sorriso da Esfinge, que eu mesmo observava frequentemente com certa irritação, ou talvez não gostasse da ressonância cavernosa e sepulcral da voz do meu guia. Em qualquer um dos casos, a troca de palavras ancestralmente ofensivas tornou-se muito afiada, e pouco depois Ali Ziz – como ouvi o guia chamar o desconhecido quando já não tinha nome pior para usar – agarrou violentamente Abdul pela roupa, uma ação que foi rapidamente correspondida e que causou uma luta acirrada em que ambos os lutadores perderam seus chapéus

---

8. *Tarbush*: pequeno chapéu de feltro ou pano muitas vezes utilizado em conjunto com um turbante.

sacrossantos e que teria chegado a um estado ainda mais lamentável se eu não tivesse interferido, separando-os à força.

Minha intercessão, que a princípio não pareceu bem-vinda por nenhuma das partes, finalmente conseguiu estabelecer uma trégua. Os dois beligerantes controlaram sua raiva, ajeitaram as roupas com um gesto rude e, adotando um ar de dignidade tão profunda quanto repentina, fizeram um curioso pacto de honra que logo descobri que se tratava de um costume muito antigo no Cairo: um acordo para resolver suas diferenças mediante uma briga a socos no topo da Grande Pirâmide, à luz da lua, depois que o último turista partisse. Cada um dos lutadores deveria reunir um grupo de padrinhos, e a luta deveria começar à meia-noite, acontecendo em assaltos, da maneira mais civilizada possível.

Tudo isso despertou muito o meu interesse. A própria luta prometia ser espetacular e única, enquanto a ideia da cena no topo daquele venerável planalto antediluviano de Gizé sob uma lua minguante das primeiras horas da noite despertava cada canto da minha imaginação. Pedi que Abdul me aceitasse em seu grupo e ele o fez de bom grado. Passei, então, o resto da noite acompanhando-o por vários lugares das áreas mais marginais da cidade, principalmente a nordeste de Ezbekiyeh, onde ele reuniu, um a um, um grupo formidável de capangas como pano de fundo para sua luta.

Pouco depois das nove horas, nosso grupo montou em burros que tinham nomes reais ou reminiscências turísticas como "Ramsés", "Mark Twain", "J. P. Morgan" e "Minnehaha", e partimos através do labirinto de ruas orientais e ocidentais, cruzamos o lamacento Nilo pela ponte dos leões de bronze e cavalgamos filosoficamente entre as *lebbakhs* na estrada que levava a Gizé. Demoramos pouco mais de duas horas para fazer a viagem, e no final nos deparamos com os últimos turistas que regressavam, saudamos o último bonde e ficamos a sós com a noite, o passado e a lua espectral.

Então, no fim da avenida, vimos as imensas e fantasmagóricas pirâmides, dotadas de uma obscura ameaça atávica que eu não havia notado à luz do dia. Mesmo a menor delas parecia deixar entrever um vislumbre de espanto. Pois não era nela que a rainha Nitócris, da Sexta Dinastia, tinha sido enterrada viva? A astuta rainha Nitócris, que uma vez convidara seus inimigos para uma festa em um templo localizado sob o Nilo e afogara todos eles ao abrir as comportas? Lembrei-me de que os árabes murmuravam certas histórias sobre a rainha Nitócris e evitavam aproximar-se da Terceira Pirâmide em certas fases da lua. Sem dúvida, Thomas Moore devia estar pensando nisso quando escreveu algo sobre os boatos que os barqueiros de Mênfis contavam:

"A ninfa subterrânea que habita
entre as joias sem sol e as glórias ocultas:
Senhora da pirâmide!"

Embora ainda fosse cedo, Ali Ziz e seu grupo tinham-nos ultrapassado, porque vimos seus burros encostados no platô do deserto em Kafrel-Haram, uma aldeia miserável perto da Esfinge, para onde nos encaminhávamos, em vez de seguir a estrada normal até o Hotel Mena House, onde alguns policiais sonolentos e ineficientes poderiam ter nos visto e nos detido. Ali, onde os beduínos imundos mantinham seus camelos e burros nos túmulos dos cortesãos de Quéfren, começamos a subir as rochas e os solos arenosos até a Grande Pirâmide, em cujos lados desgastados os árabes se aglomeravam ansiosamente, com Abdul Reis oferecendo-me uma ajuda de que eu não precisava.

Como a maioria dos viajantes sabe, o ápice dessa construção foi desgastado pela erosão há muito tempo, deixando uma plataforma razoavelmente plana de cerca de doze metros quadrados. Nesse misterioso pináculo formou-se um círculo e, alguns instantes depois, a lua sardônica do deserto contemplava um combate que, a julgar pela qualidade dos gritos dos espectadores, poderia ter ocorrido em algum pequeno ginásio americano. Enquanto a observava, compreendi que algumas de nossas instituições menos desejáveis não faltavam ali, porque a cada golpe, a cada defesa e a cada parada, reluzia a palavra "simulação" aos meus olhos, que não eram completamente inexperientes. A luta acabou rapidamente, e, apesar de minhas dúvidas sobre os métodos, senti uma espécie de orgulho quando Abdul Reis foi proclamado o vencedor.

A reconciliação foi incrivelmente rápida e, no meio das canções de confraternização e das bebidas que se seguiram, era difícil lembrar que havia ocorrido uma briga. Estranhamente, eu parecia ser o centro das atenções – mais do que os próprios antagonistas – e, com meu pouco conhecimento da língua árabe, entendi que eles estavam falando sobre o meu talento profissional e minha facilidade para escapar de todos os tipos de cadeias e prisões de uma maneira que indicava não só um conhecimento incrível de quem eu era, mas uma hostilidade clara e ceticismo no tocante às minhas façanhas escapistas. Aos poucos, vim a perceber que a velha magia do Egito não tinha desaparecido completamente, deixando traços e fragmentos de um estranho encanto secreto e práticas de culto sacerdotal que tinham sobrevivido sub-repticiamente entre os *fellaheen* a ponto que as habilidades de um *hahwi* ou mágico estrangeiro eram levadas a mal e rechaçadas. Pensei em quanto meu guia de voz cavernosa, Abdul Reis, assemelhava-se a um antigo egípcio ou faraó, ou à sorridente Esfinge... e pus-me a refletir sobre a questão.

De repente, aconteceu algo que confirmou minhas suspeitas e me fez amaldiçoar a insensatez de ter aceitado os eventos da noite anterior como algo diferente de um disfarce nulo e malicioso que naquela época provou ser. Sem aviso, e evidentemente em resposta a algum sinal oculto de Abdul, todo o bando de beduínos pulou sobre mim e, puxando uma corda grossa, amarraram-me firmemente como ninguém nunca havia me amarrado em toda a minha vida, tanto no palco quanto fora dele.

No começo, resisti, mas logo me dei conta de que um homem nada pode fazer contra um rebanho de mais de vinte bárbaros bronzeados. Minhas mãos estavam amarradas às minhas costas, os joelhos dobrados ao máximo, e meus pulsos e tornozelos estavam solidamente unidos por cordas fortíssimas. Uma mordaça sufocante foi colocada em minha boca e meus olhos foram bem vendados. Então, quando os árabes me carregaram em seus ombros e começaram a descer a pirâmide, ouvi o riso do meu então guia Abdul, que zombava de mim e me insultava alegremente com sua voz profunda, e me garantiu que em breve teria que apresentar os meus "poderes mágicos" em uma prova suprema que apagaria em um momento toda a vaidade que os meus triunfos na América e na Europa haviam me dado. O Egito, ele me lembrou, era muito antigo e cheio de mistérios ocultos e poderes antigos, inimagináveis até mesmo para especialistas de hoje, cujos engenhos sempre haviam falhado em me manter preso.

Não sei por quanto tempo ou em que direção eles me transportaram; as circunstâncias me impediam de formar qualquer ideia aproximada. No entanto, sei que não poderíamos ter percorrido uma grande distância, já que aqueles que me levaram não se apressaram em nenhum momento, e mesmo assim não demoramos muito. É essa surpreendente brevidade que quase me arrepia, toda vez que penso em Gizé e seu planalto... é opressor saber o quão perto as rotas turísticas atuais estão do que já existiu e ainda deve existir.

A anormalidade maligna da qual falo não se manifestou no começo. Colocando-me sobre uma superfície que reconheci como areia e não rocha, meus sequestradores passaram uma corda em volta do meu peito e me arrastaram alguns metros até uma abertura irregular no solo, onde me jogaram sem muita consideração. Por um tempo que pareceu uma eternidade, desci colidindo contra as paredes irregulares e rochosas de um poço estreito que, presumi, fosse uma das numerosas fossas sepulcrais do planalto, que descia a profundezas prodigiosas e quase inacreditáveis, o que impossibilitava qualquer cálculo.

O horror da experiência ficava mais intenso a cada segundo que passava. A ideia de que uma descida através de rocha sólida poderia ser tão grande sem atingir o centro do próprio planeta, ou que qualquer corda feita pelo homem fosse longa o suficiente para levar-me a essa profundidade incalculável da terra, era tão terrível que era mais fácil para mim duvidar de meus sentidos perturbados do que aceitar que aquilo estava acontecendo. Até hoje tenho minhas dúvidas, porque sei como a percepção do tempo se torna enganosa quando um ou mais de nossos sentidos ou as condições habituais da vida são alterados ou distorcidos. Tenho certeza, no entanto, de que ao menos mantive uma consciência lógica até certo ponto, que pelo menos não acrescentei nenhum fantasma da imaginação a uma imagem já bastante horripilante e que tudo poderia ser explicado por uma espécie de ilusão cerebral muito diferente da alucinação de fato.

Mas esse não foi o motivo principal do meu primeiro desmaio. A assustadora provação aconteceu gradualmente, e os terrores subsequentes chegaram com o aumento sensível da velocidade da descida. Eles agora baixavam aquela corda infinitamente longa de forma muito rápida e ela me arranhava cruelmente nas paredes ásperas e estreitas do poço, enquanto descia a uma velocidade insana. Minhas roupas estavam em frangalhos, e eu sentia o sangue correndo por todo meu corpo sobre a crescente e excruciante dor que sentia. Além disso, meu nariz foi tomado por uma ameaça não muito definida: um fedor cada vez mais perceptível de coisas úmidas e mofadas, estranhamente diferente daqueles que eu conhecia e com leves sugestões de especiarias e incenso que conferiam um tom de zombaria à situação.

Então veio o cataclismo mental. Foi assustador, mais assustador do que qualquer linguagem articulada possa narrar, porque ocorreu na alma, sem qualquer detalhe que possa ser descrito. Era o êxtase do pesadelo e da quintessência do diabólico. A maneira repentina foi desencadeada de forma apocalíptica e infernal: em um momento, estava mergulhando, agonizante, naquele poço estreito, sentindo como se milhões de dentes estivessem a me torturar; e, logo depois, voava com asas de morcego no abismo do inferno, balançando-me por incontáveis quilômetros de espaço mofado e sem fim, subindo vertiginosamente para pináculos incomensuráveis de éter frio e, em seguida, mergulhando ofegante nos vácuos dos pontos mais baixos. Agradeço a Deus pela misericórdia do desmaio que me libertou daquelas Fúrias que rasgavam minha consciência e que quase desequilibraram minhas faculdades e destroçaram meu espírito como harpias!

Essa pausa, embora breve, deu-me força e sanidade suficientes para resistir a sublimações ainda maiores do terror que me esperavam na estrada que ainda precisava ser percorrida.

2.

Foi aos poucos que recuperei os sentidos depois daquele voo horrível pelos espaços estígios. O processo foi incrivelmente doloroso, e colorido por sonhos fantásticos nos quais minha situação de cativo e amordaçado encontrou uma materialização única. A natureza exata dos sonhos parecia muito clara enquanto os experimentava, mas quase imediatamente se reduziram a uma mera impressão nebulosa por causa dos terríveis acontecimentos – reais ou imaginários – que se seguiram. Sonhei que uma enorme e assustadora garra me prendia: uma garra amarela, peluda, dotada de cinco unhas, que emergira da terra para me apertar e me engolir. Quando parei para refletir o que aquela garra significava, pareceu-me que simbolizava o Egito. Naquele sonho, repassei os eventos das semanas anteriores e vi que eu havia sido atraído e preso lentamente, de forma sutil e insidiosa, por algum espírito infernal da feitiçaria antiga do Nilo – algum espírito que existia no Egito antes de o homem surgir, e que continuará existindo depois que ele desaparecer.

Vi o horror e a antiguidade doentia do Egito, a aliança terrível que ele sempre manteve com os túmulos e os templos dos mortos. Vi procissões fantasmagóricas de sacerdotes com a cabeça de touro, de falcão, de gato e íbis; procissões de fantasmas que marchavam através de labirintos subterrâneos e avenidas de propileus titânicos, perto dos quais o homem é uma mosca, e rituais com sacrifícios inomináveis a deuses indescritíveis. Colossos de pedra marchavam na noite interminável dirigindo manadas de esfinges antropomórficas sorridentes para margens de imensos e estagnados rios de peixes. E, por trás de tudo isso, vi a malevolência inefável da necromancia primordial, negra e amorfa, gesticulando gananciosamente no escuro para capturar e devorar o espírito que se atrevesse a zombar dela para desafiá-la.

Um melodrama sinistro de ódio e perseguição tomou forma em meu cérebro adormecido e vi a alma negra do Egito me escolhendo e me chamando com sussurros inaudíveis: chamando-me e atraindo-me, levando-me com o esplendor e o apelo de uma superfície sarracena, mas ainda me empurrando para as catacumbas antigas e os horrores de seu coração faraônico, morto e abismal.

Então os rostos daquele sonho adotaram traços humanos, e vi meu guia Abdul Reis usando vestes reais, com o sorriso da Esfinge em seu rosto. Eu sabia que aquele era o rosto de Quéfren, o Grande, que construíra a Segunda Pirâmide, mandara esculpir na face da Esfinge as características de seu próprio rosto e construíra o gigante templo cujos inumeráveis corredores os arqueólogos pensavam ter sido escavados na areia enigmática e na rocha silenciosa. Observei a mão longa, magra e rígida de Quéfren; a mesma mão longa, magra e rígida que eu havia visto na estátua de diorito preservada no Museu do Cairo – a estátua encontrada no terrível templo de entrada, e me surpreendi por não ter gritado quando a vi em Abdul Reis. Aquela mão! Ela era terrivelmente fria e estava me apertando. Tinha o frio e a rigidez do sarcófago... a frieza e a opressão do Egito imemorial... o Egito anoitecido das necrópoles... e dizem coisas terríveis sobre Quéfren...

Mas a essa altura eu comecei a acordar ou, pelo menos, a entrar em um estado de sono menos profundo do que o anterior. Eu me lembrava da luta no topo da pirâmide, dos beduínos traiçoeiros e de seu ataque perigoso, daquela descida terrível e de rolar e mergulhar enlouquecido em um vácuo gelado, impregnado de putrefação aromática. Percebi, então, que estava deitado em um chão de pedra e que as amarras ainda me agrediam com uma força inflexível. Fazia muito frio e eu parecia notar um fraco sopro de ar. Estava profundamente machucado pelas feridas e contusões que as paredes recortadas do poço me haviam causado, e a dor se intensificara para uma sensação de agulhadas e queimaduras lacerantes por causa de alguma particularidade pungente daquela brisa; o simples ato de me virar era suficiente para todo o meu corpo pulsar com uma agonia indescritível.

Quando me virei, senti um puxão vindo de cima e presumi que a corda com a qual eu havia sido levado para baixo ainda alcançava a superfície. Eu não sabia se os árabes a estavam segurando ou não. Eu também não fazia ideia da profundidade em que estava. O que notei foi que a escuridão ao meu redor era total, ou quase total, uma vez que não penetrava através da minha venda nenhum raio da luz da lua, mas não confiava em meus sentidos o suficiente para aceitar a sensação de ter descido por muito tempo como prova de que estava a uma grande profundidade.

Como eu estava em um espaço consideravelmente amplo que vinha da superfície através de uma abertura na rocha, perguntei-me se minha prisão seria a capela de entrada da velha pirâmide de Quéfren – o Templo da Esfinge. Talvez algum corredor interior que os guias não tivessem me mostrado durante a visita da manhã e de onde eu poderia escapar facilmente se conseguisse descobrir a direção da porta gradeada. Seria vagar em um labirinto, mas não seria pior do que outras experiências que haviam cruzado meu caminho no passado.

A primeira medida seria me livrar dos nós, da mordaça e da venda, algo que sabia que não seria muito difícil para mim, já que especialistas mais engenhosos do que aqueles árabes já tinham tentado me imobilizar de várias maneiras durante a minha longa e variada carreira escapista, sem nunca ter conseguido atrapalhar meus métodos.

Em seguida, ocorreu-me que talvez os árabes viessem ao meu encontro e me atacassem assim que tivessem a menor evidência de que eu havia escapado, o que aconteceria ao perceberem qualquer agitação na corda, que eles provavelmente ainda estavam segurando. Isso, naturalmente, supondo que o lugar onde eu estava trancado fosse realmente o Templo da Esfinge construído por Quéfren. A abertura acima, onde quer que estivesse, não poderia estar longe de qualquer entrada comum e facilmente acessível perto da Esfinge – se, na verdade, estivesse de fato em uma profundidade realmente considerável da superfície, já que a área total conhecida pelos visitantes estava longe de ser enorme. Eu não havia notado nenhuma abertura na minha peregrinação diurna, mas tinha consciência de que essas coisas passam facilmente despercebidas no meio das areias amontoadas.

Pensando em todas essas coisas enquanto me encontrava deitado, revirado e amarrado no chão de pedra, quase me esqueci dos horrores da descida abismal e do balanço cavernoso que tinha me deixado inconsciente. Minha ideia naquele momento era apenas enganar os árabes, então resolvi tentar me libertar o quanto antes, evitando puxar a corda para não revelar minhas tentativas efetivas ou frustradas de fugir.

No entanto, isso era mais fácil de conceber do que executar. Algumas tentativas preliminares me mostraram que havia muito pouco que eu poderia fazer sem me movimentar consideravelmente. Não fiquei surpreso quando, após um esforço particularmente enérgico, comecei a notar que a corda começou a cair ao meu redor e em cima de mim. Evidentemente, os beduínos notaram meus movimentos e soltaram a ponta. Sem dúvida eles tinham corrido até a entrada do templo para me esperar com intenções assassinas.

A perspectiva não era muito agradável, mas eu já havia enfrentado situações piores sem pestanejar e não faria diferente agora. Antes de qualquer coisa, eu deveria me livrar das cordas e confiar na minha esperteza para escapar ileso do templo. É curioso como passei a acreditar que estava no antigo templo de Quéfren, perto da Esfinge, a uma curta distância da superfície.

Essa crença se desmoronou e os medos da existência de uma profundidade sobrenatural e de um mistério demoníaco voltaram a me assombrar por conta de uma circunstância que gerou terror e significância mesmo enquanto formulava meu plano filosófico. Contei-lhes que a corda caía sobre mim. Percebi depois que ela continuava se acumulando, de uma forma que nenhuma corda de tamanho normal conseguiria. Ela ganhou ímpeto e se transformou em uma avalanche, acumulando-se montanhosamente no chão e quase me enterrando sobre as colinas que se multiplicavam. Logo eu estava completamente enterrado, respirando com dificuldade enquanto o enrolamento me submergia e afogava.

Meus sentidos vacilaram novamente, e tentei inutilmente me livrar daquela tortura que era maior do que o ser humano pode suportar. Não era apenas o sentimento de que a vida e a respiração me escapavam pouco a pouco, mas o que aquela quantidade imensurável de corda significava, e saber dos abismos subterrâneos desconhecidos e incalculáveis que deviam estar ao meu redor naquele momento. Minha descida sem fim e o voo oscilante através desse reino espectral devia mesmo ter acontecido, e eu provavelmente estava deitado e desamparado em uma região desconhecida de cavernas perto do centro da Terra. A confirmação de tamanho terror era insuportável e, pela segunda vez, mergulhei em uma inconsciência misericordiosa.

Ao dizer inconsciência, não quero dizer que estava livre de sonhos. Pelo contrário, minha separação do mundo consciente foi marcada por visões de atrocidades indescritíveis. Deus! Quem dera não ter lido tanto sobre Egiptologia antes de ir àquele país, fonte de tanta escuridão e terror! Esse segundo desvanecimento permitiu que a compreensão arrepiante daquela terra e de seus segredos arcaicos invadisse minha mente adormecida e, por alguma coincidência detestável, meus sonhos giravam em torno de concepções antigas sobre os mortos e a sobrevivência de seus corpos e de suas almas além daqueles misteriosos túmulos que eram mais casas do que sepulturas. Lembrei-me – de um modo onírico que me alegra ter esquecido – da disposição única e complexa dos túmulos do Egito, bem como as estranhas e terríveis doutrinas que determinaram tal construção.

Aquelas pessoas só sabiam pensar sobre a morte e os mortos. Eles imaginavam uma ressurreição literal do corpo que os impelia a mumificá-lo com extremo cuidado e a preservar os órgãos vitais em vasos que depositavam ao lado do cadáver; mas, além de acreditar no corpo, acreditavam em dois outros elementos: na alma, que depois de pesada e aprovada por Osíris residiria na terra dos abençoados, e no escuro e portentoso *ka*, ou princípio vital, que vagava pelos mundos superior e inferior de uma maneira horrível, pedindo de vez em quando permissão para retornar ao corpo preservado, consumindo as oferendas de alimentos feitas pelos sacerdotes e membros da família piedosa na capela mortuária, e – como diziam os boatos – às vezes levando seu corpo ou sua réplica em madeira que sempre era enterrada ao lado dele para sair, maliciosamente, e executar certas missões especialmente repugnantes.

Por milhares de anos, esses corpos descansaram esplendidamente trancados, com o olhar vítreo virado para cima quando eles não eram visitados pelo *ka*, esperando pelo dia em que Osíris reunisse ambos – o *ka* e a alma –, e libertasse as rígidas legiões de mortos das casas do sono enterradas. Seria um renascimento glorioso, mas nem todas as almas eram aceitas, nem todas as tumbas permaneceriam intactas, e por isso aconteciam alguns erros grotescos e anormalidades diabólicas. Até hoje os árabes falam sobre convocações impiedosas e cultos perniciosos em abismos esquecidos que somente os *kas* alados invisíveis e as múmias sem alma poderiam visitar e depois voltar ilesos.

Talvez as lendas mais terríveis sejam aquelas que se referem a certos produtos perversos do clericalismo decadente: *múmias compostas*, resultantes da união artificial de troncos e membros humanos com cabeças de animais, em uma tentativa de imitação dos antigos deuses. Os animais sagrados haviam sido mumificados em todos os estágios da história, de modo que touros, gatos, íbis, crocodilos e outros animais sagrados pudessem retornar um dia para a glória suprema. Mas somente na decadência eles misturaram o humano e o animal no mesmo corpo mumificado – durante a decadência, quando eles já não sabiam quais eram os direitos e as prerrogativas do *ka* e da alma.

Não se diz o que aconteceu com essas múmias compostas – pelo menos publicamente –, e é verdade que nenhum egiptólogo jamais encontrou alguma. Os boatos dos árabes são extravagantes e nada confiáveis. Chegaram até mesmo a insinuar que o velho Quéfren – o da Esfinge, a Segunda Pirâmide e a entrada do templo – vive nas profundezas do subsolo, casado com a horrível rainha Nitócris, e exerce seu domínio sobre as múmias que não são nem de homem nem de animais.

Com tudo isso – com Quéfren e sua consorte, e com os estranhos exércitos de mortos híbridos – eu sonhei; e por essa razão fico feliz que as formas exatas dos seres sonhados tenham desaparecido da minha memória. A visão mais horrível se referia a um assunto que eu havia me perguntado casualmente no dia anterior enquanto contemplava o grande enigma esculpido do deserto, imaginando a que profundezas ignoradas poderia encontrar-se conectado secretamente o templo próximo. Essa pergunta, então inocente e fugaz, adotou em meus sonhos um significado de loucura frenética e histérica. *Que anormalidade imensa e repugnante a escultura da Esfinge originalmente representava?*

Meu segundo despertar – se é que foi um despertar – constitui uma lembrança absolutamente terrível à qual nenhuma experiência da minha vida, exceto por uma coisa que aconteceu comigo depois, foi capaz de igualar. E isso considerando que minha vida tem sido mais cheia de aventuras do que a da maioria dos homens. Note que eu tinha perdido a consciência sob a cascata de corda que caíra sobre mim, cujo imenso comprimento indicava que a profundidade em que eu estava era incrível. Agora, ao me recuperar, notei que todo o peso havia desaparecido. Ao me virar, percebi que, embora ainda estivesse amarrado, amordaçado e com a venda nos olhos, *algo removera completamente a avalanche de cânhamo asfixiante que me enterrara*. O que isso significava, é claro, só percebi gradualmente, mas, mesmo assim, acho que teria caído em inconsciência de novo se não me encontrasse naqueles momentos em um estado de exaustão emocional tão grande que nenhum horror seria capaz de fazer muita diferença. Eu estava sozinho... *com o quê?*

Antes que eu pudesse me torturar com qualquer nova reflexão, ou fazer qualquer novo esforço para me livrar daquelas cordas, outra circunstância foi revelada. Algumas dores que eu não havia experimentado antes estavam agora torturando meus braços e pernas, e me senti coberto por um sangue seco e abundante, muito mais do que meus cortes e arranhões anteriores poderiam ter-me feito derramar. Senti o peito perfurado por cem feridas, como se um íbis gigantesco e maligno tivesse me bicado. Obviamente, o ser que havia retirado a corda de mim era hostil e tinha começado a me infligir feridas terríveis até que, sem dúvida, alguma coisa o fez desistir. No entanto, minha reação naquele momento foi o oposto do que se poderia esperar. Em vez de me afundar em um abismo de desespero, senti renascer em mim novos espíritos e o desejo de agir, porque agora percebia que as forças do mal eram seres físicos que um homem sem medo poderia enfrentar de igual para igual.

Movido pela força desse pensamento, puxei os nós novamente, e usei de toda a arte de uma vida profissional para me libertar, como costumava fazer no meio do brilho dos holofotes e dos aplausos das multidões. Os detalhes familiares do meu procedimento de fuga começaram a me absorver, e agora que a longa corda tinha desaparecido, quase passara a acreditar que os horrores indescritíveis eram, afinal de contas, alucinações, e que não havia poço terrível, nem abismo insondável, nem corda infinita. Eu estaria, afinal, na entrada do templo de Quéfren, ao lado da Esfinge, e os árabes não teriam entrado secretamente para me torturar enquanto eu jazia ali, inerte? Em qualquer caso, eu tinha que escapar. Assim que estivesse de pé, desamarrado, sem a mordaça, e com os olhos abertos para qualquer brilho de luz vindo de qualquer ponto, eu realmente poderia lutar contra os inimigos malignos e traiçoeiros!

Não sei quanto tempo levei para me livrar de todos os nós. Deve ter sido muito mais do que nas minhas apresentações públicas, porque eu estava ferido, exausto e enfraquecido pelas experiências que tinha sofrido. Quando finalmente me libertei, respirando profundamente um ar frio, úmido e perversamente aromático – o mais horrível desde que me amordaçaram –, senti-me entorpecido e cansado demais para me mexer. Permaneci deitado, tentando esticar meu corpo machucado por um período indefinido, e forçando meus olhos a fim de captar alguma luz que me desse uma pista sobre minha posição.

Gradualmente, minha força e flexibilidade foram voltando. No entanto, meus olhos não distinguiam nada. Quando me levantei, vacilante, perscrutei todas as direções, mas percebi apenas uma escuridão negra como ébano, tão intensa como se ainda estivesse vendado. Tentei usar minhas pernas, cobertas com uma crosta de sangue sob minhas calças esfarrapadas, e descobri que podia andar, embora não soubesse em que direção seguir. É claro que não deveria correr sem rumo e correr o risco de me afastar da entrada que estava procurando; assim, permaneci imóvel para perceber a direção do fluxo de ar frio e fétido carregado com o cheiro de sódio que eu nunca deixara de sentir. Aceitando o ponto de sua origem como a entrada para o abismo, tentei seguir essa trilha e andar direto para lá.

Eu costumava levar comigo uma caixa de fósforos e até uma pequena lanterna elétrica, mas, claro, os bolsos das minhas roupas rasgadas há muito haviam sido despojados de todos esses itens pesados. Enquanto avançava cautelosamente na escuridão, a corrente tornava-se mais forte e desagradável, até que finalmente se tornou nada menos que uma detestável corrente de vapor que fluía de alguma abertura, como a fumaça do gênio trancado na garrafa do pescador do conto oriental. Oriente... Egito... Na verdade, esse berço escuro da civilização sempre havia sido uma fonte de horrores e maravilhas indescritíveis!

Quanto mais eu pensava sobre a natureza daquele vento da caverna, mais aumentava a minha preocupação porque, apesar do odor, eu buscava sua origem considerando-a pelo menos como uma pista indireta para chegar ao mundo exterior, e agora eu claramente entendia que essa emanação fétida não poderia ter qualquer conexão ou relação com o ar puro do deserto da Líbia, mas devia ser essencialmente uma exalação vomitada pelos abismos sinistros. Portanto, eu estava me movendo na direção errada!

Depois de um momento de reflexão, decidi não refazer meus passos. Se me afastasse da corrente de ar, não teria pontos de referência de qualquer tipo, já que o chão de rocha relativamente plano não tinha traços discerníveis. Por outro lado, se seguisse a estranha corrente, sem dúvida alcançaria algum tipo de abertura, da qual poderia talvez fazer um desvio, seguindo as paredes, para o lado oposto desse salão ciclópico, impossível de ser explorado de outra forma.

Eu sabia que poderia falhar. Percebi que não estava na entrada do templo de Quéfren, conhecida pelos turistas. Tive a impressão de que aquele recinto era desconhecido até mesmo pelos arqueólogos, e que os curiosos e malévolos árabes que me trancaram o haviam descoberto acidentalmente. Se fosse esse o caso, haveria alguma abertura de saída para as partes conhecidas ou para o exterior?

Que provas eu tinha, afinal, de que essa era a entrada do templo? Por um momento, todas as minhas especulações tolas vieram à mente, e pensei naquela mistura vívida de impressões: a descida, a suspensão no espaço, a corda, as feridas e os sonhos que não poderiam ser mais do que simples sonhos. Teria o fim da minha vida chegado? Seria de fato misericordioso, se esse *fosse realmente* o fim? Não consegui encontrar uma resposta para nenhuma das minhas perguntas, e continuei pensando cada vez mais, até que o Destino me mergulhou pela terceira vez na inconsciência.

Dessa vez, não houve sonhos, pois o incidente repentino produzira uma impressão que me privara de todos os pensamentos conscientes ou subconscientes. Dei um passo em falso quando cheguei a um ponto em que a corrente repugnante de ar tornara-se forte o suficiente para oferecer resistência física real, e caí de cabeça em um trecho de enormes degraus de pedra, em um abismo de horror irremediável.

Considero que ter voltado a respirar novamente foi um tributo à vitalidade inerente do organismo humano saudável. Muitas vezes penso naquela noite e encontro uma nota de humor real nessas perdas repetidas de consciência; perdas de consciência cuja sucessão não me fazem lembrar de outra coisa senão dos melodramas cinematográficos grosseiros da época. Naturalmente, é possível que eu não tenha perdido a consciência em momento algum, e que todos os detalhes desse pesadelo subterrâneo fossem apenas sonhos de um longo coma que havia começado com o impacto da minha descida ao abismo e que terminou com o bálsamo curativo do ar exterior e do sol nascente que me encontraram deitado nas areias de Gizé, diante da face sardônica e banhada pelo alvorecer da Grande Esfinge.

Se for possível, prefiro acreditar nesta última explicação. Por isso, fiquei contente quando a polícia me disse que haviam encontrado a barreira na entrada do templo de Quéfren aberta, e que, de fato, havia uma rachadura considerável na superfície, em um canto da parte que ainda estava enterrada. Também fiquei feliz quando os médicos declararam que minhas feridas eram o que se poderia esperar depois de ter sido amarrado, amordaçado e sofrido uma queda de uma grande altura – talvez em uma depressão na galeria interna do templo –, arrastar-me para a barreira externa e escapar, e outros incidentes como esse. Um diagnóstico que foi muito reconfortante e, no entanto, sei que deve haver algo mais. Aquela descida íngreme era demasiadamente real para ser esquecida, e é estranho que ninguém tenha conseguido encontrar o homem que corresponde à descrição de meu guia Abdul Reis, o Drogman, o guia da voz sepulcral que se assemelhava ao rei Quéfren e sorria como ele.

Fiz essa digressão na narrativa talvez com a esperança de evitar o incidente final; aquele incidente que foi mais certamente uma alucinação. Mas prometi contar, e vou cumprir minha promessa. Quando me recuperei – ou achei que me recuperei – depois de cair daquela escadaria de pedra, sentia-me tão solitário e na escuridão quanto antes. O vento, que anteriormente parecia nauseante para mim, era agora um fetiche demoníaco. No entanto, acostumei-me o suficiente a ele para aguentar de forma estoica. Atordoado, comecei a me arrastar para longe do lugar de onde o vento pútrido surgia, e, com as mãos ensanguentadas, senti os blocos colossais de um enorme pavimento. Em seguida, minha cabeça colidiu contra um objeto duro e, ao tocá-lo, descobri que era a base de uma coluna: uma coluna de proporções incrivelmente imensas, cuja superfície estava coberta de gigantescos hieróglifos bem perceptíveis ao toque.

Continuei rastejando, tropeçando em mais colunas titânicas, separadas umas das outras em intervalos incompreensíveis, quando de repente minha atenção foi atraída por algo que deve ter impressionado minha audição subconsciente antes que meu ouvido consciente o captasse.

De algum abismo inferior das entranhas da terra brotaram certos *sons*, rítmicos e definidos, como eu nunca ouvira antes. Quase intuitivamente percebi que eram acordes muito antigos e claramente cerimoniais, e minhas leituras sobre Egiptologia me fizeram associá-las à flauta, à sambuca, ao sistro e ao tímpano. Em seus sons, zumbidos, chocalhos e percussões, senti uma qualidade avassaladora que superou todos os terrores conhecidos da Terra, uma qualidade singularmente dissociada do medo pessoal e que assumiu a forma de uma espécie de piedade objetiva em relação ao nosso planeta, que deve abrigar em suas profundezas as coisas terríveis que devem estar por trás dessas cacofonias egípcias. O volume aumentou e eu entendi que ele estava se aproximando. Então – e espero que os deuses de todos os panteões me impeçam de ouvir algo como isso de novo –, comecei a ouvir fracamente, à distância, os passos mórbidos e milenares de alguns seres que avançavam.

Era tenebroso que passos tão irregulares marchassem em um ritmo tão perfeito. Houvera, sem dúvida, um treinamento de milhares de anos ímpios para aquela marcha de monstruosidades secretas da Terra. Avançavam com um passo silencioso, sonoro, solene, plano, alto, pesado, arrastado... ao som dos desacertos detestáveis daqueles instrumentos burlescos. Então – que Deus apague da minha mente a memória dessas lendas árabes! –, as múmias sem alma, o ponto de encontro dos *kas* errantes, as hordas de mortos faraônicos condenados por quarenta séculos, as *múmias compostas*, guiadas pelos imensos vazios de ônix pelo rei Quéfren e sua macabra rainha Nitócris...

Os passos estavam se aproximando. Que o céu me liberte do som daqueles pés e garras e cascos e pernas, que começou a se tornar tão claro! Na amplidão sem limites do pavimento escuro, um lampejo de luz cintilou no meio do vento malcheiroso, e eu me escondi atrás do enorme cilindro de uma coluna ciclópica para escapar por um momento do horror que se aproximava lentamente, com milhões de pés, viajando gigantescamente naqueles gigantescos salões de antiguidade fóbica. O lampejo de luz aumentou e os passos e o ritmo dissonante cresciam a um ritmo enlouquecedor, atingindo proporções terríveis.

No lampejo da luz laranja, uma cena aterrorizante surgiu tão vagamente que abri a boca, tomado por um espanto que me fez esquecer o medo e a relutância que sentia. Bases de colunas cujos eixos se estendiam além de onde alcançava a vista, bases próximas às quais a Torre Eiffel pareceria insignificante, hieróglifos gravados por mãos inimagináveis em cavernas onde a luz do dia era apenas uma lenda remota...

Eu *não iria olhar* para aqueles seres que avançavam. Decidi isso ao ouvir o ranger das articulações e o arfar sulfuroso que elevava-se acima da música sepulcral e dos passos dos mortos. Foi misericordioso que eles não falassem... mas, meu Deus, *suas tochas loucas começaram a lançar sombras naquelas colunas tremendas. Hipopótamos não devem ter mãos humanas, nem carregar tochas, e os homens não deviam ter cabeça de crocodilo...*

Tentei desviar o olhar, mas as sombras, os sons e o mau cheiro invadiram tudo. Então lembrei-me de algo que costumava fazer quando criança, quando tinha um pesadelo e estava semiconsciente, e comecei a repetir para mim mesmo: "É um sonho! É um sonho!", mas não ajudou. Tudo que pude fazer foi fechar os olhos e rezar; pelo menos é o que acho que fiz, já que nunca se tem certeza durante as visões; porque eu sei que foi isso e nada mais. Eu me perguntava se voltaria ao mundo novamente, e às vezes abria meus olhos furtivamente para ver se conseguia distinguir alguns detalhes do lugar, além do vento cheio de aroma e podridão, das intermináveis colunas e das sombras que criavam horrores abomináveis e anormais. O brilho crepitante de uma multidão de tochas agora me cegava, e a menos que aquele lugar infernal não tivesse parede alguma, logo descobriria algum tipo de limite ou sinal. Mas tive que fechar meus olhos novamente quando percebi a quantidade de seres que estavam se reunindo... principalmente quando avistei algo que andava solene e determinado, sem corpo da cintura para cima.

Um gorgolejo infernal e ululante de cadáveres ou um ressonar de mortos agora rasgava a atmosfera – uma atmosfera podre e venenosa que cheirava a jatos de nafta e de betume –, jorrando do coro em concerto da legião macabra que formava aqueles híbridos de blasfêmia. Meus olhos, perversamente abertos, contemplaram por um momento uma visão que nenhuma criatura humana seria capaz de imaginar sem estremecer de pânico e perder a consciência. Os seres tinham se alinhado cerimoniosamente na direção do vento fétido, onde a luz das tochas mostrava suas cabeças arqueadas, ou as cabeças daqueles que as tinham. Estavam se prostrando em uma atitude de adoração diante de uma grande abertura negra da qual o cheiro putrefato brotava, cujo fim as vistas não conseguiam alcançar e a qual, como pude ver, era ladeada por duas escadarias gigantescas em ângulos retos cujo fim se perdia nas sombras. Uma delas, evidentemente, era a escada pela qual eu caíra.

As dimensões do buraco eram totalmente proporcionais às das colunas: uma casa comum teria se perdido lá dentro, e qualquer edifício público de tamanho normal poderia ser colocado e retirado dali com toda a folga. Era uma superfície tão vasta que só movendo os olhos se podia alcançar seus limites; e era imenso, assustadoramente negro, e aromaticamente pestilento... E, na frente daquela entrada digna de Polifemo, aqueles seres jogavam coisas, obviamente oferendas religiosas ou sacrifícios, a se julgar pelos seus gestos. Quéfren era o líder: o rei Quéfren, ou o guia Abdul Reis, rindo com desprezo, coroado com seu *pshent*[9] dourado e entoando fórmulas infindáveis com a voz cavernosa dos mortos. Ao lado dele estava ajoelhada a linda rainha Nitócris, a quem vi de perfil por um momento, e notei que a metade direita do rosto dela tinha sido devorada por ratos ou outros espíritos. Fechei os olhos novamente quando vi quais eram os objetos que eles lançavam como oferendas na abertura fétida, ou à possível divindade que ela abrigava.

Ocorreu-me que, a julgar pela complexidade desse ritual, a divindade oculta deveria ser extremamente poderosa. Seria Osíris ou Ísis, Hórus ou Anúbis, ou talvez algum deus desconhecido dos mortos,

---

9. *Pshent* era a coroa dupla usada pelos governantes no antigo Egito. Combinava a Coroa Branca Hedjet do Alto Egito e a Coroa Deshret Vermelha do Baixo Egito. O *pshent* representava o poder do faraó sobre todo o Egito unificado. (N. do T.)

ainda mais importante e supremo? Há uma lenda que diz que altares terríveis e colossais foram erguidos em honra de um deus desconhecido, antes mesmo que os deuses conhecidos fossem adorados...

Então, enquanto eu lutava para observar a adoração sepulcral e extasiada daqueles seres indescritíveis, ocorreu-me a ideia de como escapar. O recinto estava escuro e as colunas, envoltas em sombras. Com todas as criaturas que compunham aquela multidão de pesadelos imersas em uma adoração terrível, eu tinha alguma chance de me esgueirar sorrateiramente até uma das escadas e subir sem ser visto, e confiando no Destino para conseguir escapar para os níveis superiores. Eu não sabia e não tinha parado para pensar sobre onde eu estava, e por um momento foi divertido planejar seriamente uma fuga do que eu sabia que era um sonho. Será que eu estava em uma região escondida e desconhecida nos níveis inferiores do templo de entrada de Quéfren... aquele templo que por séculos e séculos tem sido persistentemente chamado de Templo da Esfinge? Eu não poderia conjecturar, mas decidi subir para a vida e para a consciência, se meu juízo e meus músculos me ajudassem.

Encolhido, comecei a ansiosa jornada até o pé da escada à esquerda, que parecia a mais próxima das duas. Não consigo descrever os incidentes e sensações que experimentei durante aquela marcha lenta e arrastada, mas você pode imaginá-las se pensar no que tive que presenciar de perto à luz maligna das tochas sacudidas pelo vento para evitar ser descoberto. Como eu disse, o pé da escada estava submerso nas sombras, pois devia subir direto até a planície vertiginosa, protegido por um peitoril que se erguia acima da abertura titânica. Isso colocava o último estágio da minha subida a alguma distância da repugnante multidão, embora o espetáculo me causasse calafrios, mesmo quando já o via de longe, à minha direita.

Finalmente, consegui alcançar os degraus e comecei a subir, mantendo-me colado à parede – onde observei que havia decorações da natureza mais assustadora – e confiando minha segurança ao interesse extasiado e absorto com que as monstruosidades olhavam para a abertura de vento fétido e a comida perversa que haviam jogado no pavimento à frente dela. A escada era enorme e íngreme, construída com grandes blocos de pedra, como se tivesse sido feita para pés de gigantes, e a subida parecia virtualmente infinita. O medo de ser descoberto e a dor que o novo exercício tinha despertado em todas as minhas feridas combinaram-se para tornar essa subida uma memória agonizante. Eu havia decidido que, quando chegasse ao patamar, continuaria subindo imediatamente qualquer escada que lá houvesse, sem parar para dar uma última olhada nas abominações de carniça que marchavam e se ajoelhavam a cerca de vinte e cinco ou trinta metros abaixo... No entanto, quando estava quase chegando ao fim da escada, uma repentina repetição daquele gorgulho estrondoso ou ressonar do coro de cadáveres recomeçou. Sua cadência cerimonial indicava-me que não havia perigo de ser descoberto, por isso parei e olhei cuidadosamente para o peitoril.

As monstruosidades estavam saudando algo que tinha saído da abertura para agarrar a horrível comida oferecida. Era um ser tremendamente grande, mesmo visto da minha altura; um ser amarelado e peludo, dotado de uma espécie de movimento nervoso. Era enorme, talvez como um hipopótamo de grandes proporções, embora de uma forma única. Parecia não ter pescoço, mas cinco cabeças separadas e peludas que emergiam em fileira de um tronco cilíndrico rudimentar. A primeira era muito pequena; a segunda, de tamanho normal; a terceira e a quarta eram iguais e pareciam ser as maiores de todas; a quinta era menor, embora não tão diminuta quanto a primeira.

Dessas cabeças saíam alguns tentáculos curiosos e rígidos que avidamente abocanhavam enormes quantidades do alimento indescritível depositado diante da abertura. De vez em quando, a coisa pulava e às vezes recuava para sua toca de uma maneira muito curiosa. Sua forma de locomoção era tão inexplicável que eu observava fascinado, desejando que ela saísse um pouco mais do buraco cavernoso abaixo de mim.

E então *ela saiu... Ela saiu* e, diante daquela visão, virei-me e fugi pela escuridão para o topo das escadas que estavam atrás de mim. Fugi enlouquecido pelos incríveis degraus, escadas e rampas, sem que nem a visão humana nem a lógica me guiassem, em uma jornada insana que devo eternamente relegar ao mundo dos sonhos por falta de confirmação. Deve ter sido um sonho; do contrário, a aurora nunca teria me encontrado respirando nas areias de Gizé, diante do rosto sarcástico e extasiado da Grande Esfinge.

A Grande Esfinge! Deus! Aquela pergunta tola que me fizera na manhã anterior abençoada pelo sol: *que anormalidade imensa e repugnante a escultura da Esfinge originalmente representava?* Maldita seja a visão, seja ela sonhada ou não, que me relevou aquele terror supremo – o Deus desconhecido dos Mortos, que lambe seus lábios colossais no abismo inesperado e se alimenta das horrendas peças que lhe oferecem criaturas impuras que não deveriam existir. O monstro de cinco cabeças que surgiu... aquele monstro de cinco cabeças, do tamanho de um hipopótamo... o monstro de cinco cabeças – aquele do qual estas eram simplesmente a pata dianteira...

Mas sobrevivi, e sei que foi apenas um sonho.

Quer mais do melhor suspense, terror e aventura?
Confira nossas outras publicações:

Box *Obras de Edgar Allan Poe*. Três volumes. 356p.

Box *Obras de Edgar Allan Poe*. 426p.

Box *H.P. Lovecraft - Os melhores contos Vol. 1*. 448p.

Box *As grandes histórias de Sherlock Holmes*. 448p.

H.P. Lovecraft. Histórias reunidas. Volume único. 336p.

editorapandorga.com.br
/editorapandorga
@pandorgaeditora
@editorapandorga